Les mots de ma vie

Bernard Pivot

de l'académie Goncourt

Les mots de ma vie

Albin Michel

Pour Bérengère

Un mot d'accueil

Il est impossible de résumer une vie en un mot. En trois peut-être : naissance, vie et mort. Mais c'est un peu court. Il en faut plus pour faire un livre. Ça tombe bien : notre mémoire est pleine de mots. Il suffit de puiser dedans. En choisissant ceux qui ont compté. Des mots inévitables comme *amour, amitié, homme, famille, vieillir*, etc. Mais aussi des mots qui ont illustré, ponctué ou éclairé une existence à nulle autre pareille, entendons par là qu'il n'y a pas sur terre deux parcours qui se confondent. Le destin sait nous départager.

On trouvera donc dans ce dictionnaire très personnel des mots qui m'ont accompagné dans ma vie professionnelle comme, précisément, *dictionnaire* et *mot*. Plus *apostrophe, orthographe, écrivain, lecture, bibliothèque, guillemets*... À ceux-là s'ajoutent une ribambelle d'autres mots qui relèvent de ma vie privée, de mes souvenirs intimes, de mes manières d'être, de ma psychologie d'enfant et d'adulte, de mes trucs, de mes manies, de mes rêveries, de mes bonheurs, de mes chagrins, de mes petites aventures d'homme devenu public grâce à une succession de clins d'œil du hasard. Voici les mots-valises d'un voyageur retourné sur ses pas. Le mot à mot d'un type qui a enregistré des mots prononcés par les plus grands écrivains de son époque. Les mots de passe d'une sentinelle de la littérature et d'un maître d'hôtel intermittent de l'hédonisme. Tous ces mots n'ont pas la prétention de raconter une vie de A à Z, mais d'en faire surgir des senteurs, des sons et des couleurs.

Tout cela est-il vrai ? Oui, mais pendant que je plongeais en apnée dans ma mémoire, mon imagination ne cessait de fonctionner, et même, comme la chair, d'exulter. De sorte que le livre contient aussi, ici ou là, de petites choses inventées, suscitées par ce supplément de vivre et de jouir qu'on appelle l'humour.

Enfin, tandis que j'écrivais, je continuais de lire. De relire. D'attraper au vol des mots qui me plaisent parce qu'ils sont beaux, amusants, classiques, désuets, modernes ou bizarres. Ils avaient leur place dans ce livre, à côté des mots autobiographiques, puisque, indirectement, à travers des écrivains que j'aime et que je cite, ils racontent eux aussi le lecteur que je suis et l'homme que j'ai été. *Les Mots de ma vie*, c'est aussi ma vie avec les mots.

S'il faut justifier le recours au dictionnaire pour évoquer les élans de ma mémoire, c'est parce que celle-ci n'est jamais chronologique. Elle est vagabonde, capricieuse. Elle ne livre que ce qu'elle veut, quand elle le veut. Elle admet la sonde, la pioche, jamais la charrue ou le râteau. Alors, on en retire des mots auxquels souvent sont encore accrochés des os et de la chair, des grimaces ou des rires. Après, il faut bien les classer.

Autre raison plus personnelle d'avoir choisi cette forme d'ouvrage : comme on le verra plus loin (> Dictionnaire), j'ai aimé les mots avant d'aimer les livres. J'ai lu un dictionnaire avant de lire des romans. J'ai vagabondé dans le vocabulaire avant de me promener dans la littérature.

Sur ces mots...

B.P.

On ne trouvera pas dans ce livre le récit de mes rencontres d'*Apostrophes* et de *Bouillon de culture* avec les écrivains. Je l'ai fait en répondant aux questions de Pierre Nora dans *Le Métier de lire*. Rien non plus sur la vigne et le vin, sujet de mon *Dictionnaire amoureux du vin*.

Ad hoc

Rien de plus sérieux que cette locution adjective employée par les juristes pour dire que c'est l'administrateur, l'aréopage ou le plénum qui convient. Mais chaque fois que je lis qu'Untel est le personnage *ad hoc* pour faire ceci ou cela, je ne peux m'empêcher de me le représenter en *Haddock*, capitaine au long cours des aventures de Tintin, barbu, poivrot et colérique.

Et lorsque j'apprends que le gouvernement a constitué un comité ad hoc pour remettre un rapport sur un problème pendant, j'en entends aussitôt les membres se lancer à la figure des crétins des Balkans ! bachi-bouzouks ! ectoplasmes ! pirates ! analphabètes ! et autres joyeux jurons de Haddock.

Dans l'homonymie, le haddock, églefin fumé, ne fait pas le poids par rapport au capitaine. Grande victoire de l'alcool sur l'eau, constaterait Haddock en s'envoyant une rasade de whisky.

Admiration

Je suis devenu un homme quand j'ai commencé d'admirer.

Aucun professeur n'avait suscité chez moi de l'admiration. Et moins encore de la passion, comme certains en font la confidence quand ils écrivent leurs Mémoires. Le prof dont on suit les cours avec enthousiasme et pour lequel on s'efforce d'accéder à l'excellence, puis d'y demeurer, je n'ai pas connu. Peut-être par un manque de générosité. Ou bien parce que je ne savais pas encore distinguer une parole qui aide à vivre des mots qui aident à passer dans la classe supérieure. Je n'étais pas assez mûr ou sensible pour me laisser envahir par une vibration, un appel d'air ou une lumière un peu fantasque.

Je ne m'admirais pas non plus. Il n'aurait plus manqué que ça ! J'avais des petits moments de fierté – un zéro faute à une dictée, une passe décisive au foot, un tango joliment dansé, un compliment surpris entre deux portes sur la beauté de ma mère –, mais rien qui pouvait me donner à croire que je n'appartenais pas au gros du troupeau de la jeunesse de l'après-guerre. Et pas en tête du troupeau, ni à la queue, non, dans la bousculade de la multitude.

Admirer n'est pas un don inné. Aimer ou détester, adorer ou abhorrer, chérir ou haïr, c'est spontanément naturel. Avec le temps on apprend pourquoi, même si « le cœur a ses raisons que la raison ne connaît point ». En se creusant un peu la cervelle on arrive quand même à savoir. L'admiration est un sentiment beaucoup plus subtil, à la fois esthétique, intellectuel et moral. Elle est fugace, la joie qu'un adolescent ressent devant une œuvre d'art, un livre ou à l'écoute d'une musique, tandis que l'admiration pour un adulte exige une ferveur durable, une constance de l'esprit et du cœur. Elle doit sans cesse s'alimenter de nouveaux motifs d'étonnement et d'émerveillement. Et grand est le retentissement de la personne admirée sur le comportement du jeune admirateur. Je n'ai rien éprouvé de tel.

Je me rasais depuis longtemps le menton quand j'eus mes premières admirations pour des professeurs. Ils enseignaient au Centre de formation des journalistes. L'un d'eux, Michel Chrestien, traducteur de profession, écrivain d'occasion, érudit de nature, de son vrai nom Silberfeld, avait choisi de s'appeler Chrestien parce que dans le roman de Balzac *Les Secrets de la princesse de Cadignan*, un républicain, qui se nommait ainsi, mourait sur une barricade. Peu probable, pensait-il, que deux Michel Chrestien finissent tragiquement. Lecteur impitoyable, il vous fichait 2 sur 20 pour une redondance ou un cliché, et 18 pour une seule phrase qu'il lisait plusieurs fois à haute voix en en savourant la trouvaille de style. Il aimait déconcerter, surprendre, amuser, provoquer, stimuler. La plupart de mes camarades s'agaçaient de ses humeurs, alors que son esprit caustique et paradoxal me ravissait.

Après Michel Chrestien j'ai admiré beaucoup de journalistes, d'écrivains, d'artistes. Il n'est pas exagéré de dire que, à *Apostrophes* et à *Bouillon de culture*, j'ai fonctionné à l'admiration, carburant que je pompais dans d'inépuisables gisements de livres. Mais jamais adulateur ou dévot. Je tiens de je ne sais quel aïeul une malice que mon regard ne sait pas cacher et qui indisposait parfois des enseignants et des camarades. Michel Chrestien y a ajouté une certaine bonhomie rieuse et persifleuse.

Affiquet

Non, le très modeste petit bijou que je lui ai offert, ce n'était pas une babiole, ni un colifichet, ni un brimborion, ni une breloque, ni une pacotille, ni un de ces affûtiaux qui sont proposés sur les trottoirs, ni un fifrelin, ni une bagatelle, quoique ce mot soit assez gracieux, et encore moins de la camelote ou du toc, non, c'était un *affiquet*, mot qui a ajouté de la rareté, du chic et de la valeur à cette broche de rien du tout qu'elle a accrochée à sa veste.

Ah !

Il y eut une période où les dirigeants de la télévision publique trouvaient illogique que, pendant les vacances d'été, le petit écran ne diffusât pas d'émissions littéraires. Les Français ont alors le temps de lire ? Eh bien, proposons-leur des livres ! C'est ainsi que Marcel Jullian, puis Claude Contamine me demandèrent de prolonger *Apostrophes*, sous une forme différente, pendant le mois d'août. De 1976 à 1980, je fis donc *Ah ! vous écrivez ?*, entretiens de vingt à trente minutes, avec le plus souvent des romanciers enregistrés à leur domicile.

Ce « *Ah !* » suivi de la question « vous écrivez ? » exprimait à la fois la surprise et l'admiration de qui se trouve devant une personne qui lui révèle une ambition d'écrivain. Ah ! je ne savais pas que vous écriviez, on ne me l'avait pas dit, je ne m'en doutais pas, mais je suis ravi de l'apprendre, je suis heureux pour vous, et je suis impatient de vous lire…

Aujourd'hui on ne mettrait pas de point d'exclamation derrière le *ah !*. On se contenterait d'une virgule. Ah, vous écrivez ? Mais j'aime bien le point d'exclamation qui donne au *ah* ici plus de surprise, plus d'admiration, et qui, ailleurs, ajouterait de la douleur, de l'impatience, de la colère, de la crainte, du dégoût, du plaisir… *Ah !* et *oh !*, petits par la taille, sont de grands comédiens qui peuvent interpréter toute la gamme des sentiments. Et quand on les double, *ah ! ah !, oh ! oh !,* ils deviennent de magnifiques et tonitruants Fregoli.

À propos…

Parmi les écrivains qui passèrent à *Ah ! vous écrivez ?* – Henri Thomas, Dominique Rolin, Anne Philipe, Maurice Grevisse, Alexandre Zinoviev, Christine de Rivoyre, François-Régis Bastide, Philippe Soupault, Yves Navarre, etc. –, il y en eut trois dont je garde un souvenir particulier :

• Ernesto Sabato, que j'avais enregistré clandestinement pendant la Coupe du monde de football en Argentine, en 1978. C'était un opposant déclaré, surveillé, de la sanglante junte militaire au pouvoir.

• Serge Gainsbourg, pour son roman *Evguénie Sokolov*. Entretien apparemment sérieux et complètement déjanté.

• Erik Orsenna, dont ce fut la première apparition à la télévision pour son deuxième roman, *La Vie comme à Lausanne*. Il habitait 50, rue de Sèvres, escalier au fond de la cour, cinquième étage sans ascenseur. Les techniciens râlèrent de devoir monter si haut un matériel qui, à l'époque, surtout les caméras, pesait très lourd. « La France battra la Bulgarie par trois buts à un », me dit-il avec conviction. Quelques jours plus tard, le match confirma son pronostic. Il eut par la suite d'autres occasions, dans d'autres domaines que le football, de m'impressionner.

Allemand

S'il est une famille bien française, parce que pas douée pour les langues, c'est la mienne. À commencer par moi qui, en anglais, avais des notes honorables à l'écrit et calamiteuses à l'oral. (Je parle toujours l'anglais comme une vache charolaise.) Nous avons cependant *eine Ausnahme*, une exception : Anne-Marie, ma sœur, professeur agrégée d'allemand.

C'est quoi, ce miracle, cette énigme ?

Revenu de cinq ans de captivité en Allemagne, mon père ne connaissait pas plus de vingt mots d'allemand. Ma sœur naquit en 1947, douze ans après moi, sept ans après mon frère. Un jour, devant ma mère enceinte, mon père dit : « J'espère que ce sera une fille et qu'elle sera professeur d'allemand. » Anne-Marie eut connaissance de ce vœu prophétique alors qu'elle enseignait déjà la langue de Goethe. Elle aurait pu choisir l'anglais. Un séjour en Allemagne alors qu'elle était lycéenne la fit basculer de l'autre côté du Rhin. Elle assure qu'elle n'était pas particulièrement douée pour les langues – enfin, plus que son père et son frère aîné, ce n'était pas difficile –, mais elle y prit du plaisir, s'obstina et réussit.

Cette vocation dissimulée, je l'explique par l'influence psychologique et génétique de mon père. Européen convaincu, il estimait que, pour éviter une nouvelle guerre entre la France et l'Allemagne, il fallait que les nouvelles générations des deux pays parlent la langue de l'autre. Ensuite, comment ne pas imaginer que dans le capital génétique transmis à ma sœur il y avait, héritage de ses cinq années de captivité dans des fermes et des stalags, un peu de l'Allemagne culturelle et éternelle cachée sous le nazisme ? La privation de liberté, l'éloignement de la France et de sa famille laissaient cependant dans le chagrin de cet homme bon une part d'admiration pour un peuple quand il n'est pas saisi par la folie criminelle.

> Famille

Amant

L'amant a malheureusement une maîtresse. Le mot *amant* serait, avec *amour*, le plus beau mot de la langue française s'il n'avait comme équivalent, complément, corollaire féminin, ce vulgaire mot de *maîtresse.*

Un amant est un homme qui aime une femme, qui en est aimé, et qui a avec elle des relations sexuelles. Si cette femme est libre, on dira d'elle, de même si elle est mariée, qu'elle est sa maîtresse. Quelle que soit sa situation de famille, dès lors qu'une femme entretient des rapports intimes avec un homme qui n'est pas son mari, elle est désignée par la vox populi comme sa maîtresse. On emploie aussi avec gentillesse et hypocrisie les mots *amie, petite amie, copine,* et surtout *compagne*, terme devenu presque officiel, parce qu'on sent bien que *maîtresse* a une connotation péjorative. Mais ces mots ne cachent pas le statut consacré par l'usage de maîtresse de l'homme aimé en cachette ou au grand jour.

L'homme, lui, a le bon mot : *amant.* Marié ou pacsé, il devient l'amant ; célibataire, il est naturellement l'amant. L'affubler de synonymes banals comme *compagnon*, de plus en plus employé, *ami, petit ami, copain,* est une échappatoire. Rien ne peut égaler la beauté, l'énergie sentimentale, la virilité du mot *amant.* Pourtant, peu de femmes osent dire : « Permettez-moi de vous présenter A., mon amant. » Et peu d'hommes ont la sincérité crâne d'annoncer qu'ils sont l'amant de…

Amant est un mot si éclatant, si fort, si charnel, si troublant, si audacieux que les amants éprouvent eux-mêmes quelque embarras à le prononcer. Il relève du domaine privé, surtout écrit. « Mon bel amant… Amant de ma vie… Mon amant chéri… Mon amour, mon amant… Mon amant de si longue mémoire… » Ou bien il figure dans les journaux à la rubrique des faits divers. Il est incontournable dans la littérature : biographies, romans, poésie.

> *« Amants, heureux amants, voulez-vous voyager ?*
> *Que ce soit aux rives prochaines… »*
> La Fontaine, *Les Deux Pigeons*

Valery Larbaud a repris ces *Amants, heureux amants…* pour en faire le titre d'un recueil de trois nouvelles qui peignent l'amour sous un jour mélancolique, sans illusions. *L'Amant de lady Chatterley*, de David Herbert Lawrence, et *L'Amant*, de Marguerite Duras, racontent la découverte du plaisir sexuel par des femmes que la passion oblige à affronter les interdits sociaux et le scandale.

Conclusion : *amant* est un mot magnifique, mais dangereux, moralement suspect, à cause de sa charge spermatique, de sa finalité jouissive, des désordres familiaux et sociaux qu'il provoque.

Il est logique qu'*amant* ait un féminin. Hélas ! *amante* est un mot qui n'est pas employé. On le rencontre sous la plume de Racine, de Proust, dans les Mémoires des XVIIe et XVIIIe siècles. En dépit de *L'Amante anglaise*, de Marguerite

Duras, de Michel Houellebecq qui l'utilise plusieurs fois dans son dernier roman, *La Carte et le Territoire*, *amante* n'a pas réussi à s'imposer dans le langage populaire, sauf chez les lesbiennes. On lui a préféré *maîtresse*, qui sent la férule et qui est dépourvu de grâce et d'amour. Ou *compagne*, qui est banal, qui fait routarde. *Amante* n'est même pas utilisé pour désigner une femme tout simplement amoureuse. Pourquoi ce dédain, ce rejet d'un joli mot qui a une évidente légitimité, même si l'amante en est civilement dépourvue ?

À propos…

Sur la différence entre mari et amant, Balzac, comme souvent, d'une phrase est allé au vrai : « Il est plus facile d'être amant que mari par la raison qu'il est plus difficile d'avoir de l'esprit tous les jours que de dire de jolies choses de temps en temps » (*Physiologie du mariage*).

Ambition

En dehors de rêveries d'adolescent où je m'imaginais écrivain ou joueur de football, je n'avais aucun désir assez fort qui ressemblât à de l'ambition. De mes médiocres résultats scolaires je ne pouvais nourrir grand-chose. C'est un lointain parent par alliance qui, me voyant souvent le nez dans des quotidiens ou des revues, me suggéra de devenir journaliste. Je me présentai au concours d'entrée du Centre de formation des journalistes. À ma surprise, je fus admis. Cela me paraissait tellement miraculeux que je me demandai, en arrivant à Paris pour suivre les cours de la première année, si l'école n'allait pas s'apercevoir très vite qu'elle s'était méprise sur mes capacités.

Aussi, remontant à pied, avec ma valise, la rue de Lyon, je décidai de ne pas m'éloigner de la gare. Je louai une chambre mansardée, peu chère, au City Hôtel, d'où je pourrais rejoindre sans tarder la gare de Lyon si l'affaire tournait mal. Ce n'est qu'en deuxième année du CFJ, enfin sûr de moi, que je m'enfonçai dans Paris pour prendre une chambre à proximité de la rue du Louvre.

Devenu un étudiant brillant, je sortis deuxième de ma promotion. Ce classement m'autorisait à briguer un stage dans un journal parisien. Je n'en eus même pas l'idée. Lyonnais, je retournerais à Lyon. C'était mon destin. J'entrai au *Progrès* où, si je fis quelques articles, pour l'essentiel je mettais en pages les papiers et les photos des correspondants du département de Saône-et-Loire. Quatre mois après, je me brouillai avec la direction du journal, celle-ci refusant de me libérer pour un stage rémunéré dans les institutions économiques et financières du pays. Car j'eus l'ambition de devenir un journaliste spécialisé dans l'économie. Quelle idée saugrenue ! Alors que Michel Tardieu, mon camarade de promotion, campait avec bonheur à la Caisse des dépôts et consignations, à la Banque de France ou à l'Insee, je m'y ennuyais à mourir.

Grillé à Lyon, il me fallait bien envisager de faire carrière à Paris. On sait que par une chance réellement extraordinaire j'entrai au *Figaro littéraire*. La chance n'a cessé ensuite de m'accompagner. Elle m'a tenu lieu d'ambition. Mes articles du *Figaro littéraire* et du *Figaro* m'ont valu d'être appelé à France Culture par Roger Vrigny, puis à Europe 1, après quoi mes chroniques de radio, associées à mes activités de journaliste spécialisé dans le livre, ont déclenché chez Jacqueline Baudrier, directrice de la première chaîne, conseillée par Yves Berger et Pierre-Jean Rémy, le désir de me confier une émission littéraire à la télévision. Tout cela s'est enchaîné sur quinze ans sans que j'eusse jamais à tirer des sonnettes. C'est à n'y pas croire !

Ce portrait d'un homme sans ambition, qui ne doit sa réussite qu'à sa bonne étoile, est cependant en partie faux. Car si je n'ai jamais manifesté d'ambition à long terme, avec plan de carrière et postes à conquérir, chaque fois qu'une nouvelle responsabilité m'était proposée, j'y déployais une telle ardeur, tant de combativité, que cette volonté de réussir relevait évidemment de l'ambition. Par le travail je voulais justifier la confiance qui m'avait été accordée et me prouver que j'étais capable de relever le défi. Une idée fixe, une énergie implacable : je devais être irréprochable, efficace, talentueux. Le meilleur.

Mon ambition n'a jamais été tournée vers l'avenir. Elle s'est toujours concentrée, de semaine en semaine, sur le présent.

Âme (1)

À notre mort, c'est l'accent circonflexe, le chapeau de l'*âme*, qui s'envole, aspiré par de puissants courants d'air métaphysiques. Après quelques jours, semaines ou mois – comme les météorologues, les théologiens ne sont pas d'accord sur le temps à long terme –, le chapeau parvient à un vestiaire immense aux murs couverts d'innombrables portemanteaux. Tout naturellement il s'accroche à l'un d'eux. C'est là, dans les patères noster, qu'il attend le Jugement dernier.

Âme (2)

L'âme ? L'âme de qui ? de quoi ? Notre conscience, notre esprit, notre énergie qui s'éteindront avec nous ? Ou notre bagage virtuel que nous ouvrirons après notre mort au jugement de Dieu ? Une glande dans le cerveau, selon Descartes ? Une annexe du cœur ? Un miroir le long du chemin ? Le disque dur de notre moi ?

L'âme est une bonne fille. On lui colle toutes les métaphores : l'âme d'une équipe de foot, d'une révolte populaire, d'un orchestre, d'un paysage champêtre, d'une ONG, d'un complot, d'une maison, d'une ville, d'une nation..., l'âme latine, l'âme slave, l'âme des geishas, l'âme des guérilleros… Plus l'âme se répand, moins on y croit. Sauver son âme n'est plus comme jadis l'ambition de la vie. On préférait alors perdre la vie plutôt que perdre son âme. Aujourd'hui, s'il y a péril en la demeure, partout où la mort rôde et menace, on pense d'abord à sauver sa peau. L'âme, en cas de malheur, ce ne sera que du bonus.

Là-dessus, Malaparte a écrit des pages très fortes dans *La Peau*. Le récit, à vous faire dresser d'horreur les cheveux sur la tête, se situe à Naples, en 1943, pendant et après la libération de la ville par les Alliés. « C'est la civilisation moderne, cette civilisation sans Dieu, qui oblige les hommes à donner une telle importance à leur peau. Seule la peau compte désormais. Il n'y a que la peau de sûr, de tangible, d'impossible à nier. C'est la seule chose que nous possédions, qui soit à nous. La chose la plus mortelle qui soit au monde. Seule l'âme est immortelle, hélas ! Mais qu'importe l'âme, désormais ? Il n'y a que la peau qui compte. »

Curzio Malaparte a écrit *La Peau* en 1947 et 1948. Il est mort en 1957. Il n'a donc pas assisté à l'explosion commerciale de la cosmétique. S'il revenait parmi nous, il serait effaré par l'abondance des crèmes qui se proposent de rendre notre peau plus douce, plus élastique, plus jeune, plus claire, plus mate, plus parfumée, plus glamour, plus résistante. Des crèmes avant, pendant et après le soleil. Avant et après le rasage. Avant et après le bain. Avant, pendant et après l'amour. Avant et après le sommeil. Pour chaque partie du corps, de la tête aux pieds, du nourrisson au vieillard.

Triomphe de la peau. On ne vend pas dans les parfumeries, les pharmacies et les supermarchés de crèmes pour l'âme. Non plus dans les églises.

Chaque fois que j'enduis de crème la peau de mon nez pour éviter que le soleil ne le change en poivron rouge, je pense à l'âme de Malaparte.

Amie

Heureux de découvrir que le journaliste et écrivain suisse Jean-Louis Kuffer désigne sa femme ou sa compagne, la mère de ses enfants, sous l'appellation « ma bonne amie ». Son « blog-notes » *Riches heures* est dédié « à ma bonne amie ». Il écrit, par exemple : « Ma bonne amie ne cesse de m'émouvoir. Elle est essentiellement elle-même. Elle est toujours juste. Toujours elle-même et juste. » On voit bien qu'il n'y a là rien de condescendant, de vieillot ou de douceâtre, et moins encore d'ironique. Jean-Louis Kuffer réhabilite le sens qu'avait au XIXe siècle la « bonne amie », telle que l'entendaient Balzac et Flaubert, à savoir soit la fiancée, soit la maîtresse. Il va plus loin : il en fait sa femme et il lui déclare ainsi son amour.

À propos…

Enfance. Que nous y mettions de la méchanceté quand nous disions d'une petite fille qu'elle était – hou ! hou ! – « la bonne amie » d'un garçon ainsi moqué.

Tandis que les femmes grandissaient d'un ou de deux centimètres par génération, la *petite amie* remplaçait la *bonne amie*. Va comprendre, Alexandre !

Amitié

Je suis resté fidèle à mes amis d'enfance. Le pâtissier, le vétérinaire, l'industriel – ils sont depuis longtemps tous les trois à la retraite alors que je leur donne l'impression que je ne le suis pas et ne le serai jamais – habitent loin de Paris. Nous nous voyons peu, davantage avec l'ex-pâtissier, mais nos sentiments ne souffrent ni de l'éloignement ni de l'âge. On se serre la main, on ne s'embrasse pas. À l'époque, entre hommes, ça ne se faisait pas. Si, aujourd'hui, on s'embrassait, nous donnerions l'impression de régulariser nos six vieux couples.

L'infidélité en amitié est inexcusable. Alors qu'en amour… la chair est faible. Il n'y a pas de chair dans l'amitié, il y a surtout des atomes crochus, des neurones, des gestes, des sourires, des rires, du verbe, des élans du cœur. La table est à l'amitié ce que le lit est à l'amour. La petite bouffe entre copains, le vin des copains. Ils sont justement là, les copains, pour réconforter celui d'entre eux qui souffre d'un chagrin d'amour.

Pourquoi, analogue à l'expression « faire l'amour », n'existe-t-il pas l'expression « faire l'amitié » ? On fait l'amitié tantôt chez l'un tantôt chez l'autre. Et surtout au restaurant. Nous étions sept membres du PC (Pour la Croûte) ou du PCPC (Pour la Croûte Pas Chère), nous ne sommes plus que cinq. Depuis vingt-cinq ans, je suis membre du Club des Cent. La camaraderie s'y entretient autour des meilleures tables de Paris et, de temps en temps, de province et de l'étranger. Un seul de mes amis, le dentiste, ne boit pas de vin. La passion partagée du football se substitue à ma soif. Ou alors je bois deux fois plus avec mon ami le coiffeur.

C'est avec un ex-éditeur de littérature générale, mon cadet, que j'ai le plus d'affinités et de complicité. Les livres, la musique, la pêche, le vin, la bouffe. Ensemble, nous sommes toujours très bien. Ô les beaux jours dans sa splendide maison du Luberon ! Souvent, nous partons en couples au festival de piano de La Roque-d'Anthéron. Quand, à Paris, nous déjeunons ou dînons en tête-à-tête, il est rare que nous n'échangions pas nos points de vue sur l'amour et sur les femmes. Son jugement est moins nuancé que le mien, mais je crois qu'il tire de son expérience une connaissance plus clairvoyante que la mienne.

Je fais l'amitié avec un autre ex-éditeur, celui-ci de livres d'art et de beaux livres, d'une dizaine d'années mon aîné. Par sa générosité, son attention, sa disponibilité, son humour, son affectueuse inquiétude pour la santé et le moral des autres, c'est un homme d'une qualité exceptionnelle – et quand j'écris l'adjectif *exceptionnel* ce n'est pas par facilité ou excès de sentimentalité, c'est parce que tout dans sa vie, dans son comportement, dans son caractère indique que ce genre d'homme n'a été tiré qu'à quelques exemplaires.

Enfin, jeune journaliste au *Figaro littéraire*, j'eus pour ami intime le secrétaire général de la rédaction, comme moi lyonnais, qui avait l'âge d'être mon père. Sa passion des jeux de cartes ne l'entraînait pas au tutoiement. Avec lui, la gentillesse, mot banal, usé, reprenait de l'éclat. Sa culture, ses conseils, ses encouragements, ses marques d'intérêt pour ma personne encore flottante m'ont donné confiance. Jean Sénard mourut d'un cancer foudroyant à l'âge de cinquante-trois ans. Ce fut le premier être dont j'ai pleuré, oui, pleuré, et longtemps pleuré, la disparition.

Jean Hamelin, qui fut directeur du *Figaro* avant de se reconvertir à Montargis dans la distribution de la presse, prit le relais de Jean Sénard. Il me botta les fesses parce que, selon lui, je ne fichais rien. Il devint fier de mes succès comme j'étais fier de son amitié. Il me restait des larmes quand, à mon dernier coup de téléphone, je compris qu'il allait mourir.

Guy Frély était de ces hommes d'affaires qui avaient le talent d'enrichir leurs patrons et d'oublier leurs qualités de gestionnaires quand ils géraient leurs propres portefeuilles. Il est vrai qu'il était pour sa famille et pour ses amis d'une folle générosité. Toute sa vie il aura infirmé la réputation d'économes et même de grippe-sous des Lyonnais. En 1958, dans une des premières DS – il l'avait choisie de couleur jaune ! –, nous devions partir ensemble en Suède pour suivre des matches de la Coupe du monde de football et pour vérifier sur place si la liberté de mœurs des jeunes Suédoises était réelle. Une crise de rhumatismes infectieux me cloua au lit. Il ne partit pas sans moi. Il y a quelques mois, il est parti seul pour, je l'espère, un pays où, enfin épargnant, il attend ceux qu'il aimait sur terre pour leur prodiguer sans risque des marques perpétuelles de sa générosité.

> Dollar

À propos…

J'ai fait le portrait de l'ami Pierre Perret dans le *Dictionnaire amoureux du vin*. La plupart des femmes de mes amis sont mes amies, et il en est que j'affectionne beaucoup. J'évoque mes amis écrivains et journalistes dans Écrivain (2).

Amour

Il en est de l'amour comme de la politique : les promesses n'engagent que ceux qui les écoutent et qui y croient. Après lui avoir fait quatre ou cinq fois l'amour, tel homme, follement épris, annonce à sa conquête qu'elle sera la femme de sa vie alors qu'elle ne sera que la femme d'un trimestre. Telle amante prétend : « Plutôt me couper la main que de te causer du chagrin » et, trois semaines plus tard, de cette main fort vigoureuse elle tape un courriel de rupture qui causera plus que du chagrin, de la douleur. Et cet homme qui, tout autant que sa femme, désire avoir un enfant et qui, sitôt que celui-ci est arrivé, s'il n'est pas un mauvais père, ne se comporte plus en époux-amant de la mère. Et cette femme qui déclare à son amant qu'il n'y a d'avenir pour leur couple que dans l'amour fusionnel et qui s'aperçoit, après un certain temps de vie à deux, que c'est avec ses sentiments et ses désirs à elle qu'elle ne parvient pas à fusionner.

Aimer est le verbe le plus compliqué à conjuguer au futur, surtout au futur dit simple.

Aimer est un verbe qui se conjugue au présent, souvent, très vite, au passé, et, quoi qu'on fasse, à l'imparfait.

Ce qui est extravagant dans la rupture, c'est que, d'un seul coup, celle ou celui qui en prend l'initiative oublie tout : les promesses, les lettres, les nuits, les alliances, les fleurs, les voyages, la jouissance, les fêtes, les bijoux, les rires, les complicités, les épreuves, les succès, les dîners, les amis, les maisons, les spectacles, les voitures, les cadeaux, la musique, les projets. Et même, parfois, les enfants. En dix phrases ou en dix lignes, tout est biffé, occulté, exclu, et déjà éradiqué. Rideau ! La pièce est jouée, la troupe se sépare, les lumières sont déjà éteintes.

Mais, au présent, l'amour, quelle merveille !

Surtout au début, quand l'on ne sait rien de l'autre, alors que les regards ont déjà tout deviné. Les premiers mots sont idiots, et ce sont les meilleurs. Les premiers gestes sont hésitants, malhabiles, et ce sont les plus émouvants. On succombe aux premiers sourires, et les premiers rires sonnent faux à l'oreille mais tellement juste au cœur. On se vouvoie quand on a déjà la certitude que l'on sera bientôt à tu et à toi.

On ne devrait se rappeler que les premières fois. Parce que rien n'égalera jamais le plaisir de la découverte, l'effervescence de l'inventaire, la jubilation de la conquête. L'incendie de la passion. Oui, après ce sera bien, très bien, on baisera encore mieux, on sera culturellement de plus en plus en harmonie, mais on ne retrouvera pas cette émotion si neuve, si fraîche, si intense, si bouleversante de la première fois.

Les premières fleurs.

Les premiers appels téléphoniques au cours desquels on ne dit rien parce que l'on a trop de choses à se dire.

Les premières lettres ou les premiers courriels dans lesquels les mots ont été pesés sur des balances de diamantaire, à moins qu'ils n'aient été lâchés comme des vols d'hirondelles.

Le premier déjeuner ou dîner, et quelle peur affreuse qu'il faille tant l'attendre, le retard est-il dans sa nature ou bien a-t-elle renoncé ?

Le premier baiser à pleine bouche.

Le premier « Viens ! » au seuil de la chambre d'hôtel ou de la sienne.

La première exploration de la peau et des sexes.

Le premier réveil, nus, amoureux, rieurs, taquins, tendres, volubiles, affamés.

Les premiers livres échangés.

Puis ce sont les premiers cinémas, théâtres, concerts, opéras, musées, stades.

Le premier voyage en voiture, et il a décidé qu'ils s'arrêteraient au moins une fois sur un parking de l'autoroute rien que pour l'embrasser.

Le premier voyage en avion. Il a emporté une boîte de chocolats, ce qui par la suite deviendra un rite auquel ils tiendront autant par superstition que par gourmandise.

Les premiers cadeaux, les premiers bijoux, les premières bouteilles de vin – un beaujolais-villages ? un meursault-charmes ? un château-figeac ? –, les premiers livres, les premiers disques...

Enfin, plus tard, mais toujours au présent, le premier anniversaire de leurs premiers regards, de leurs premiers mots, de leurs premiers sourires, de leurs premiers rires, de leur premier baiser... Quelle fête !

Si leur histoire ne s'est pas interrompue avant...

Je ne sais plus qui a dit qu'il n'y a pas d'amour, il n'y a que des preuves d'amour. Qui oublie cet axiome de bon sens met son couple en danger. Il ne s'agit pas de surprendre l'autre, chaque jour, par des initiatives éclatantes. Ne pas banaliser l'exceptionnel. Ces preuves quotidiennes relèvent de l'attention, de la gestuelle, de la parole, de l'écoute, du regard, de l'écriture. L'amour est une voiture au double chevron qui ne marche pas au super, mais au temps. Il faut le plus souvent possible faire le plein de temps. Ne pas trop souvent attendre que le voyant du réservoir s'allume. Il n'existe ni dépanneur ni réservoir de temps. Même les personnes les plus occupées, dont l'agenda quotidien est un gymkhana, si elles sont amoureuses, trouvent toujours quelques minutes pour laisser leur cœur décrocher le téléphone ou envoyer un courriel ou un texto, quand elles ne parviennent pas à se libérer pour un cinq à sept (le cinq à sept légitime est plus rare et plus piquant que l'illégitime).

Le temps est le meilleur allié ou le pire ennemi de l'amour, surtout quand l'amour s'inscrit dans le temps.

Ange

À Jérémie

Refusez les mauvais anges, les traîtres, les déchus, les noirs, les maléfiques, les exterminateurs. Ne retenez que les bons anges, les purs, les gardiens, les protecteurs, les tutélaires, ceux dont la langue a fait nos amis, nos complices ou nos modèles.

Vous êtes euphorique ? *Soyez aux anges.*

Vous êtes d'un bon naturel ? *Riez aux anges.*

Vous êtes dans l'admiration ? *Vous êtes un ange de douceur*, *de beauté*, *de patience*, *de perfection*, etc.

Vous demandez un service ? *Vous seriez un ange si vous vouliez bien…*

Vous êtes en paix, détendu ? *Vous dormirez comme un ange.*

Vous aimez ? *Mon ange*, *mon cher ange*, *mon petit ange*, *mon bel ange.*

Vous avez de la compassion ? *Pauvre cher ange.*

Vous voulez l'embrasser ? Choisissez le dessus de sa lèvre supérieure, ce sillon que l'on appelle l'*empreinte de l'ange.*

Pour un bébé ? Enveloppez-le d'*un nid d'ange.*

Pour votre sapin de Noël ? *Des cheveux d'ange.*

Vous dégustez un cognac ou un armagnac ? Pensez avec générosité à la *part des anges*, l'alcool qui s'est évaporé pendant le vieillissement.

La mort ? *Le saut de l'ange.*

Apocope

Comme Monsieur Jourdain faisait de la prose sans le savoir, beaucoup de Français emploient des apocopes à leur insu. Surtout les jeunes, qui n'en sont pas seulement de fréquents consommateurs mais aussi des fabricants. Le prof, l'instit, le pédago, la récré, la compo, la rédac, la dissert, l'interro, les maths, la géo, les sciences nat, la trigo, la philo, le labo, la gym, l'athlé, la compète, la perf, l'ordi, le bac, les prépas, Sciences po, Normale sup, le petit-déj', le ciné, la télé… Autant de mots dont la ou les dernières syllabes ont été supprimées, autant d'apocopes.

Ces demi-mots ne signifient pas que l'on parle à demi-mot. Au contraire, ils dégagent souvent beaucoup plus d'énergie que les mots entiers. Brefs, rapides, ils sont très familiers. Et même davantage : irrévérencieux, à tu et à toi. Iconoclastes. Les apocopes rabaissent le caquet de substantifs bien installés, à forte charge politique, philosophique ou sociale. Exemples : les cathos, les socialos, les écolos, les maos, les anars, les francs-macs, les aristos, les prolos, les bourges, les réacs, les homos, les intellos, les collabos, les stals (staliniens), les pros, les proprios, etc. Ces mini-mots en font un max.

À condition qu'ils soient archiconnus, des noms et des titres se prêtent aussi à la découpe : Napo, Sarko, Ségo, Jean d'O, Rostro (le *o* est un gros stimulateur d'apocopes), *L'Huma*, *Libé*, *Le Nouvel Obs*, *Le Fig mag*, Saint-Trop… Les apocopes sont les championnes de la com et de la pub.

Les puristes les condamnent. Ils ont tort car elles apportent de la fantaisie dans nos conversations. De la provoc ? Non, des raccourcis de connivence ou de bonne humeur, d'ironie ou d'intimité. Comme j'aimerais, oh ! oui, que *florilège* devienne un mot si populaire que son apocope *flori* chasse le ridicule et si peu français *best of* ! Pas demain la veille non plus que l'apocope devienne elle-même une *apo*…

À propos…

Plus rare que l'apocope, l'aphérèse est son contraire. C'est la première syllabe du mot qui est coupée. Ou les premières syllabes. Exemples : bus pour autobus, Ricains pour Américains.

> Perpète (à)

Apostrophe

1. Signe qui marque l'élision d'une voyelle. Exemple : l'élision au lieu de la élision. L'apostrophe est un signe d'imprimerie.

2. Intervention d'une personne qui, de vive voix, en interpelle une autre : « Il m'a durement apostrophé. » L'apostrophe est une figure de rhétorique.

J'ai appelé mon émission littéraire *Apostrophes*, dans ce cas toujours au pluriel, parce que le mot relevait autant de l'écriture, du livre, que de la conversation, du débat.

Apostrophes

Fin 1974, quand je proposai à Marcel Jullian, qui venait d'être nommé p.-d.g. de la deuxième chaîne, d'intituler *Apostrophes* l'émission littéraire qui serait diffusée chaque vendredi soir, je ne me doutais évidemment pas que ce titre deviendrait emblématique d'une certaine télévision. Comme *Le Grand Échiquier* de Jacques Chancel. Vingt ans après la dernière émission (22 juin 1990), on n'a jamais évoqué avec autant de nostalgie les années *Apostrophes*, l'effet *Apostrophes*, les livres d'*Apostrophes*, le public d'*Apostrophes*, la magie *Apostrophes*…

L'émission est devenue un mythe, de sorte qu'on n'en rappelle que les réussites et qu'on en oublie les faiblesses, parfois les ratages. On n'en retient que l'esprit, la liberté de parole, le plaisir d'y avoir été invité ou de l'avoir assidûment regardée, la fête des mots et de l'esprit, l'envie de lire qu'elle communiquait intensément aux téléspectateurs, la présence nombreuse de ceux-ci dans les librairies dès le lendemain, la symbiose assez miraculeuse entre le petit écran et tous ces livres aux titres mystérieux dont le secret s'échappait peu à peu comme le fumet d'une casserole sur le feu.

Pourquoi ça marchait si fort, et pas seulement en France, mais aussi, grâce à TV5 Monde, dans les pays francophones et dans des pays où le français est très minoritaire, comme l'Italie, l'Espagne, le Brésil, ou bien encore à New York ou Boston ?

Je suis le plus mal placé pour répondre à cette question, et tenterais-je de le faire que je mettrais à mal l'une des qualités que l'on m'a souvent reconnues : la modestie. Elle n'était pas feinte parce que j'ai toujours considéré que l'auteur d'un livre, même de circonstance, même de médiocre avenir, du moment que je l'avais invité, avait préséance sur moi, journaliste, aux yeux des téléspectateurs. Et qu'il y avait davantage à attendre de ses réponses que de mes questions, d'ailleurs le plus courtes possible.

Ce qui nourrit aujourd'hui la nostalgie, c'est ce qui nous paraissait normal à l'époque : entre un et trois millions de téléspectateurs chaque vendredi soir ; leur fidélité comme s'ils étaient abonnés à un hebdomadaire ; leur envie de prolonger l'émission, d'aller plus loin dans la connaissance des livres en en achetant par milliers, parfois par dizaines de milliers dans les jours qui suivaient ; la liste des best-sellers d'*Apostrophes* ; la résonance, parfois le retentissement des conversations de plateau sur celles du public, même chez des personnes qui ne lisaient pas mais que la découverte d'un écrivain ou la confrontation des idées ou des expériences avait intriguées ou passionnées.

Tout cela justifiait l'existence d'une émission littéraire. Mon influence sur le commerce des livres en irritait quelques-uns. Mais sans influence, à quoi aurais-je servi ? C'est précisément cette influence, le brouhaha médiatique et populaire autour d'*Apostrophes* (puis de *Bouillon de culture*, mais avec moins d'intensité), les retombées commerciales dans les librairies, les bibliothèques et chez les éditeurs, enfin c'est toute cette fièvre du vendredi soir, la chose me paraissant aller de soi, qui a mythifié l'émission et l'a hissée au royaume de la nostalgie.

Je n'ai vraiment eu conscience d'avoir vécu pendant quinze ans et demi une aventure télévisuelle exceptionnelle que lorsque Pierre Nora, historien attentif aux événements de l'actualité qui fabriquent de l'histoire, m'a proposé un grand entretien dans sa revue *Le Débat*, six mois avant la fin de l'émission. On sait que cet entretien s'est déroulé par écrit et que l'ensemble de ses questions et de mes réponses – j'étais sacrément flatté qu'un historien de sa renommée s'intéressât à mes activités de journaliste ! – a paru en livre sous le titre, trouvé par Philippe Meyer, *Le Métier de lire*.

Dix ans après, *Bouillon de culture* s'étant arrêté à mon initiative, nous avons ajouté soixante-dix pages pour raconter cette nouvelle aventure. Dans une de ses questions Pierre Nora approche, de très près, me semble-t-il, l'épicentre de ce que j'ai été et que je suis toujours : « un concentré de Français » qui a réussi à « faire le plein de deux publics, le populaire et le sophistiqué ».

Applaudissements

Toujours au pluriel, même si au singulier le mot a valeur d'approbation.

À la télévision, il existe deux sortes d'animateurs : ceux,

les plus nombreux, dont les émissions sont ponctuées, hachées de salves d'applaudissements commandées par des chauffeurs de salle ; et ceux dont les émissions – magazines culturels, de reportage, d'enquête, débats politiques – ne retentissent pas des bravos du public, ne serait-ce que parce qu'il n'y est pas convié.

Les premiers vivent comme des acteurs ou des chanteurs. Ils ont besoin des applaudissements, ils s'en délectent, ils en font bombance. Pour les vieux, c'est leur schnouf, pour les jeunes, leur shit. Entendre le public battre des mains leur fait battre le cœur. Pour un silence trop long, ils risquent l'infarctus. C'est pourquoi ces animateurs-là ne peuvent envisager leur reconversion dans une activité discrète ou prendre d'eux-mêmes leur retraite. Pour les autres c'est dur aussi, mais quand même plus facile.

Il me semble que les animateurs des années fondatrices étaient moins accros à la télévision. Parce qu'à l'époque, sur les plateaux, on n'applaudissait pas, ou très peu. Ces applaudissements sont des avantages acquis. Aucun Français ne renonce jamais à ses avantages acquis. Plutôt mourir.

Ne pas croire cependant que la vie des animateurs aux écoutilles ovationnées ne soit pas sans douleur. Par exemple, quand ils montent dans l'autobus ou qu'ils entrent dans un supermarché, ils souffrent de ne pas être applaudis. Ils font toujours le même cauchemar : la claque bat des mains, mais ne produit aucun son. Ce silence bizarre ajouté au silence de la nuit les réveille. Ils disent qu'ils ont bien dormi s'ils n'ont pas fermé l'oreille de la nuit.

Audimateux, teuse

Adjectif qui n'existe pas officiellement. Mais qui dit bien ce qu'il veut dire : fabriqué, diffusé pour obtenir le maximum d'audience, pour faire péter l'Audimat. Émission audimateuse, animateur audimateux : assez vulgaire et démagogique pour flatter ce qu'il y a de plus bas chez le maximum de téléspectateurs. La téléréalité est audimateuse : elle s'adresse à des mateurs et à des mateuses, personnes qui matent, qui zieutent sans être vues.

> Néologismes

Aujourd'hui

Voici, pour moi qui suis journaliste, le plus beau mot de la langue française : *aujourd'hui*.

Hier est un mot d'historien ; *demain* un mot de futurologue. *Aujourd'hui* est beaucoup plus limité dans le temps, à son échelle d'une brièveté éjaculatoire, mais il contient l'essentiel : le présent. C'est du direct. Comme on dit à la télévision, du *live*. Nous avons avec le jour d'aujourd'hui une proximité, une intimité qu'aucune autre période de temps ne peut nous fournir. Plus nous vieillissons, plus se distendent nos liens avec le passé. Et rien n'est plus incertain que nous en ayons avec l'avenir. Seul le présent atteste de la vie. *Aujourd'hui* est le mot sur lequel, chaque matin, s'ouvrent nos yeux et s'éveille notre esprit. Aujourd'hui sent le café et le pain grillé. Aujourd'hui est la seule date qui ne demande aucun effort de mémoire ou d'imagination. Aujourd'hui n'est pas à prendre ou à laisser : nous avons été embarqués dès sa première seconde. Aujourd'hui peut être un jour moche ou exquis, sombre ou éclatant, ou d'une répétitive et insipide banalité, mais il a commencé son double tour de cadran avec nous et nous avons continué notre vie avec lui. Nous sommes l'un et l'autre tellement liés que nous disons : « Nous sommes aujourd'hui le... »

Pour les journalistes, chaque heure, chaque minute d'aujourd'hui est de l'actualité. Nous mordons dedans avec curiosité et gourmandise. Nous en arrachons des morceaux que nous décortiquons, mâchons, ruminons, régurgitons, mijotons, apprêtons, sauçons et servons au public. J'ai eu la chance d'avoir toujours été aux fourneaux de journaux, radios et télévisions étoilés. Aujourd'hui n'y a jamais été une galère.

Enfin, a-t-on remarqué cette petite chose qui volette dans *aujourd'hui*, entre le muret du *d* et la palissade du *h*, libre papillon de l'écriture et de la lecture ? Une apostrophe !

À propos...

> *« Le vierge, le vivace et le bel aujourd'hui... »*
>
> Mallarmé

Avenant

De nombreux homonymes rendent difficile l'apprentissage du français. La grammaire aussi, la conjugaison, l'orthographe itou. Mais, pour les étrangers, le pire des casse-tête, ce sont les homonymes. L'art, l'are, les arrhes, les ars, la hart leur compliquent la vie. L'air, l'ère, l'erre, le hère, la haire, l'ers leur cassent le moral (> Dictée).

Encore ces mots s'écrivent-ils différemment. On peut les distinguer par leur orthographe. Il en est de plus vicieux. Ils ont la même étymologie, ils s'écrivent de la même façon, et ils ne disent pas la même chose.

Avenant, par exemple, de l'ancien verbe *avenir* apparenté à *advenir.*

Un homme *avenant* est accueillant, affable, aimable. Son sourire et sa gentillesse séduisent. On pourrait croire que le nom *avenant* exprime comme l'adjectif un état d'agréable courtoisie. Il n'en est rien : un avenant est une clause additionnelle à un contrat, une modification apportée après sa lecture ou relecture. La locution adverbiale *à l'avenant* a-t-elle un rapport avec la bonne mine d'une personne ou avec la négociation chez un notaire ? Ni avec l'une ni avec l'autre. *À l'avenant* signifie de même, pareillement, ça se ressemble, c'est la suite logique.

Ils ne sont pas sans mérite, les étrangers qui apprennent le français et qui gardent un visage avenant.

B.a.-ba

Je préfère le b.a.-ba à l'ABC ou l'abc, plus solennel. Amusant, le b.a.-ba, qui signifie b + a = ba, premier son de deux lettres groupées, premier rudiment de lecture.

Il faut cependant reconnaître qu'il est plus valorisant de parler de l'abc d'un métier que de son b.a.-ba, qui a quelque chose d'infantile.

Infantile et pervers. Car ce nom qui désigne une connaissance élémentaire très facile s'écrit de la façon la plus compliquée. Passe encore pour les deux points qui ponctuent le *a* et le *b*, mais ce trait d'union juste avant le *ba*, alors qu'on s'attend logiquement à en trouver un premier entre le *b.* et le *a.*, n'est-il pas une diabolique chausse-trape ?

De tous les mots courants que contenaient les textes des dictées des finales des *Dicos d'or* (il en était aussi beaucoup d'obscurs et d'entortillés), *b.a.-ba* est celui qui a provoqué le plus de fautes.

À propos…

Comme le *b.a.-ba*, l'*illettrisme* est un mot paradoxal. On a collé à l'illettré, qui ne sait ni lire ni écrire, deux *l* et deux *t*. Ça ne va pas l'encourager.

Baguenaudier

Le baguenaudier est un arbrisseau qui était très répandu, en bordure des vignes, dans la vallée du Rhône. De belles fleurs jaunes en grappes, des fruits amusants, appelés *bague-naudes*, qui font un bruit sec quand on presse leurs gousses remplies d'air. Malheureusement, le baguenaudier a été victime de cette idée sotte que ce qui ne rapporte rien ne sert à rien. On en a tellement coupé, dans les années soixante et soixante-dix, que Vladimir Nabokov lui-même a protesté. Parce que le baguenaudier est la seule plante nourricière d'un certain papillon diurne qui, pour les lépidoptéristes, est d'un intérêt égal à sa séduction.

Nabokov a inventé ou découvert des espèces. C'est lui qui a réuni la collection de papillons du musée de Harvard. Même si ses écrits scientifiques sont plus contestés que ses romans, il impressionnait les entomologistes par ses connaissances, et amusait les vacanciers par sa chasse aux papillons, muni d'un filet sorti des accessoires des *Vacances de Monsieur Hulot*.

Vladimir Nabokov se récriait contre les gendarmes qui ne faisaient pas de distinction entre le savant et les « marchands de curiosités » qui capturent par vénalité des individus d'espèces menacées. Il fulminait contre les vignerons, massacreurs de baguenaudiers, et donc de papillons, « les cultivateurs avec leurs pesticides infernaux », « les crétins qui brûlent des pneus et des matelas sur les terrains vagues. Voilà les vrais coupables, et pas le savant sans lequel un gendarme ne pourrait distinguer un papillon d'une chauve-souris» (*Apostrophes*, 30 mai 1975).

Baisers (1)

« Et que t'atteigne ô Lou mon baiser éclaté. »
Apollinaire, *Poèmes à Lou*

Dieu étant Amour, il a inventé les lèvres et la langue pour les baisers. Ce n'est qu'ensuite, par esprit pratique, qu'il décida d'utiliser aussi la bouche pour l'introduction des aliments et la sortie des mots.

Quelles étaient la saveur et la profondeur, non pas de ses baisers de cinéma, mais des vrais baisers amoureux de Marilyn Monroe ?

Nul autre poète, nul écrivain n'a mieux célébré la jouissance par les baisers que Louise Labé (1524-1566) au début de son XVIIIe sonnet :

« Baise m'encor, rebaise moy et baise ;
donne m'en un de tes plus savoureus,
donne m'en un de tes plus amoureus :
je t'en rendray quatre plus chaus que braise.

Las, te plains tu ? ça que ce mal j'apaise
en t'en donnant dix autres doucereus.
Ainsi meslans nos baisers tant heureus
ouissons nous l'un de l'autre à notre aise. »

Dans les salles paroissiales et les cinémas de quartier, les garçons faisaient des bruits de succion ou de claquement de joues quand un couple d'acteurs s'embrassait sur la bouche. Moquerie ? Un peu, mais surtout une sorte de gêne, de crainte pudique à l'idée qu'un jour, plus tard, chacun devrait se risquer à ce mystérieux exercice.

Quand Judas embrassa Jésus, le désignant ainsi aux nervis des grands prêtres, avait-il mauvaise haleine ?

Le baiser sur la bouche relève de l'économie mixte. Geste privé, il peut être fait en public. Très spectaculaire – surtout au cinéma –, il conduit pourtant à l'intime, au caché.

« Ô débuts, deux inconnus soudain merveilleusement se connaissant, lèvres en labeur, langues téméraires, langues jamais rassasiées, langues se cherchant et se confondant, langues en combat, mêlées en tendre haine, saint travail de l'homme et de la femme, sucs des bouches, bouches se nourrissant l'une de l'autre, nourriture de jeunesse, langues mêlées en impossible vouloir, regards, extases, vivants sourires de deux mortels, balbutiements mouillés, tutoiements, baisers enfantins, innocents baisers sur les commissures, reprises, soudaines quêtes sauvages, sucs échangés, prends, donne, donne encore, larmes de bonheur, larmes bues, amour demandé, amour redit, merveilleuse monotonie » (Albert Cohen, *Belle du Seigneur*).

Certains couples qui pratiquent l'échangisme et la partouze acceptent que l'autre se livre à toutes les fantaisies sexuelles, à une exception près : pas de baisers sur la bouche. Parce que là se situe la vraie intimité du couple ?

> « *Tes baisers sont pointus*
> *Comme un accent aigu.* »
> Léo Ferré, *Jolie môme*

Quand un couple s'envoie par lettre, par courriel ou par téléphone des bises ou des bisous, c'est que la période du grand amour et des baisers est terminée.

Il salivait à l'idée qu'il embrasserait bientôt sa bien-aimée.

À la fin des repas de mariage, de baptême et de première communion, je chantais, imitant Georges Brassens : « Les amoureux qui se bécotent sur les bancs publics / Ont des p'tites gueules bien sympathiques. » Je n'avais encore jamais bécoté personne sur la bouche. Mais nous demande-t-on d'avoir fait la guerre pour apprendre à chanter *La Marseillaise* ?

« Piquer son cœur et l'en fleurir
D'un baiser que le sang colore. »
Jean Genet, *La Parade*

Honte à nos aïeux qui ont laissé l'expression « avoir le cœur au bord des lèvres » signifier avoir des nausées, alors qu'elle devrait exprimer l'irrépressible besoin du cœur de s'épancher par des mots et par des baisers.

Un baiser si ardent pendant lequel lèvres, dents, gencives, langues, muqueuses, papilles se caressent, se gobent, se pétrissent, se sucent, se mangent dans un huis clos de salive et de fièvre, un baiser cannibalesque si long, si long, si mouillé qu'à un certain moment se produit un transfert de jouissance au sexe de la femme, surprise, submergée.

« Sais-tu d'où nous vient notre vraie puissance ? du baiser, du seul baiser ! Quand nous savons tendre et abandonner nos lèvres, nous pouvons devenir des reines » (Guy de Maupassant, *Le Baiser*).

Baisers (2)

Un baiser, tout à coup, comme ça, sans que celui ou celle qui le reçoit s'y attende. Sur la joue, il est la marque d'une gratitude spontanée, d'un irrépressible élan de tendresse. Sur la bouche, il peut déclencher une gifle ou inaugurer une longue histoire. Les deux lèvres pour un premier baiser sont comme des guillemets. Ouverts pour quelques secondes, une nuit ou un roman-fleuve ?

Ils sont rares, mais certains baisers sur la bouche paraissent inexplicables. Ainsi, dans son bureau, celui que donne « vigoureusement » Nathalie, jeune et mélancolique veuve, à Markus, son pâle subordonné. « Ce baiser, c'était la manifestation d'une anarchie subite dans ses neurones, ce qu'on pourrait appeler : un acte gratuit » (*La Délicatesse*, de David Foenkinos). Ils ne le savent pas, mais c'est un baiser qui en appellera beaucoup d'autres.

J'avais treize ou quatorze ans quand, pendant les vendanges, je reçus d'une femme dont la beauté me troublait un baiser énigmatique. Elle se pencha soudain sur moi et planta sa langue dans ma bouche. Je ressentis plus de stupeur que de plaisir. Puis vinrent la fierté, l'envie de recommencer. Mais elle reprit ses distances et ignora par la suite mes lèvres qui quémandaient au moins des explications.

Une simple embrassade peut tout autant décontenancer. Un jour, Jean-Jacques Rousseau se trouvait chez son ami le philosophe anglais David Hume. Celui-ci raconta qu'il vit Rousseau se lever, faire le tour de la pièce et s'asseoir sur ses genoux. « Il jeta ses mains autour de mon cou et m'embrassa chaleureusement. » David Hume ajouta : « Jugez de ma surprise. »

La réaction de Vladimir Nabokov au premier baiser amoureux qu'il reçut est stupéfiante. Cela se passait à Biarritz, sur la plage. Il venait d'avoir dix ans ; Colette, dont il était très épris, les aurait bientôt. « Un jour, tandis que nous nous penchions tous les deux sur une étoile de mer, que les anglaises de Colette me chatouillaient l'oreille, elle se tourna vers moi brusquement et m'embrassa sur la joue. Mon émotion fut si grande que je ne trouvai rien d'autre à dire que : "Espèce de petite folle" » (*Premier amour*).

Béragnon

> Têtière

Bibeloteur

L'amateur de bibelots. Il les recherche, les marchande, les achète et les collectionne. Le *bibeloteur* aime faire les puces. Edmond de Goncourt : « Ce sont certainement ces vieux dimanches qui ont fait de moi le bibeloteur que j'ai été, que je suis, que je serai toute ma vie » (*La Maison d'un artiste*).

Bibeloteur est devenu lui-même un mot-bibelot, quasiment introuvable. De même aura-t-on du mal à dénicher chez les brocanteurs du vocabulaire ces jolies babioles que sont *bibeloter, bibelotage, bibeloterie* et, variante de *bibeloteur, bibelotier*.

Bibliothécaire

Je m'appelle Ina Coolbrith. Je suis une poétesse californienne. J'étais bibliothécaire à Oakland, ville portuaire proche de San Francisco. J'ai bien connu Jack London, quand il avait dix ans, à peu près. C'était un petit garçon fou de lecture. Toujours fourré à la bibliothèque. Je l'encourageais et lui conseillais des romans d'aventures, des récits de voyages, des sagas. Il dévorait tous les livres qui lui tombaient sous la main.

En décembre 1906 – il était déjà un écrivain célèbre, il venait de publier *Croc-Blanc* –, j'ai reçu de lui une lettre qui m'a bouleversée. D'abord, parce qu'il n'avait pas oublié la bibliothécaire de son enfance et qu'il avait pris le temps et la peine de lui écrire. Ensuite, parce que ce qu'il me disait était aussi tendre que généreux, alors que la vie dans ses jeunes années ne se montrait envers lui ni tendre ni généreuse.

Cette lettre est pour moi un trésor. Vous allez comprendre pourquoi :

« Le bon vieux temps de la bibliothèque d'Oakland ! Vous savez, vous avez été la première à me complimenter sur le choix de mes lectures. Personne, à la maison, ne se souciait de ce que je pouvais bien lire. J'étais un petit garçon enthousiaste, affamé, assoiffé – et un jour, à la bibliothèque, j'ai pris un volume de *Pizarre au Pérou* (j'avais dix ans). Vous avez pris le livre et l'avez tamponné. Et en me le rendant, vous m'avez félicité de lire des choses de cette nature. J'étais fier !

Si vous saviez à quel point vos mots m'ont rendu fier. Je vous dois beaucoup. Vous étiez une déesse pour moi. Je ne savais pas que vous étiez poète, ou que vous faisiez quelque chose d'aussi merveilleux que d'écrire une ligne. Je vivais dans un ranch, voyez-vous. Mais j'éprouvais une crainte mêlée de respect pour vous – comme un culte. À l'époque, je surnommais les gens avec des adjectifs. Et je vous ai appelée "Noble".

(...) Aucune femme n'a eu sur moi une aussi grande influence. Je n'étais qu'un gamin. Je ne savais absolument rien de vous. Et pourtant, après toutes ces années, je n'ai jamais rencontré de femme aussi noble que vous » (lettre citée par Jennifer Lesieur, *Jack London*).

Moi, Ina Coolbrith, n'ai-je pas reçu, signée d'un très grand écrivain, la lettre que tous et toutes les bibliothécaires du monde rêvent de recevoir un jour pour prix de leur amour des livres ?

Brouillard

Au même titre que Guignol, le jeu de boules, la soierie, les traboules et les sociétés secrètes, le brouillard fait partie de la mythologie lyonnaise. Mais, quoique le Rhône et la Saône traversent toujours la ville, il n'est plus aussi épais et fréquent qu'autrefois. En 1955, déjà, Jean Reverzy (*Le Passage*, *Place des angoisses*) se demandait où étaient les brumes d'antan. Elles avaient inspiré à Claude Le Marguet *Myrelingues la Brumeuse*, à Gabriel Chevallier *Brumerives*. Ce roman-ci commençait par une description de Lyon, une nuit de 1930, la ville étant recouverte d'« une suffocante épaisseur de brouillard (…). Tout semblait se défaire dans une ouate impalpable, transperçante d'humidité, qui étouffait les sons et vous assassinait les bronches ».

J'avais dix-sept ans et j'étais amoureux d'une jeune fille de Villeurbanne à qui ses parents défendaient de me rencontrer. Je ne la visitais donc que de loin. Quand les horaires du lycée me le permettaient, je prenais le tram pour me poster dans sa rue et guetter le moment où elle sortirait de chez elle. Le plus souvent, elle restait dans l'ignorance de ma présence. Le danger d'être surpris et le plaisir de l'apercevoir me faisaient battre un peu plus fort le palpitant. Le brouillard me permettait d'audacieuses avancées, mais l'image qu'il me donnait à voir de ma bien-aimée était floutée.

Un matin, le brouillard était semblable à celui que Gabriel Chevallier décrit. Le tramway avait roulé au pas, le conducteur actionnant en permanence son avertisseur. On n'y voyait que couic. Je m'étais carrément posté sur le trottoir d'en face. À sa porte même, impossible, au cas où son père l'aurait accompagnée au lycée. Je ne doutais pas que mes yeux, stimulés, aiguisés par un sentiment très fort, bien au-dessus des conditions météorologiques, parviendraient à percer le mur de coton sale. Mais il était si dense qu'il ne laissait passer aucun bruit. Je n'entendis ni ne vis la porte s'ouvrir. Fantôme parmi les fantômes, elle entra à mon insu dans le brouillard et s'y perdit…

Ainsi sommes-nous souvent empêchés par les circonstances d'attacher notre regard à ce que nous aimons. Des passants s'interposent, des voitures, un train, de la buée sur une fenêtre ou sur nos lunettes, un soleil aveuglant, de la brume, du brouillard… Le roman de Félicien Marceau *Les Élans du cœur* se termine sur une inopportunité tout aussi naturelle et fâcheuse. Le cœur en écharpe, la jolie Denise reste enfermée dans sa chambre. Un garçon amoureux rôde à la lisière du petit bois, tous les jeudis, parfois le dimanche. On l'appelle Rimbaud. Il regarde la maison, il scrute la fenêtre de la chambre. C'est le printemps. Chaque semaine les herbes sont plus hautes, les arbres plus fleuris. Un jour, Rimbaud n'aperçoit plus rien. La maison et Denise ont disparu derrière le feuillage.

À propos…

La fête des Lumières (chaque année le 8 décembre), à l'origine manifestation de piété et d'actions de grâce, maintenant joyeuse kermesse culturelle, commerciale et touristique, n'a-t-elle pas été une réponse, un défi du subconscient de la ville de Lyon au brouillard ?

> Flouter

Ça

Ça n'a l'air de rien. On emploie ce pronom démonstratif de deux lettres sans y penser, presque machinalement. Qui ça ? Où ça ? Ça va ? Ça roule ? Ça marche ? Ça biche ? Ça urge ! Ça me démange ! Ça sent quoi ? Comment ça se présente ? À part ça ? Oh ! pour ça...

Mon premier *ça* fut professionnel. Dans l'épicerie de mes parents où j'étais un vendeur intermittent du jeudi et du dimanche matin, je demandais aux clientes, après une première vente : « Et avec ça, madame ? »

Contraction de *cela, ça* est pratique et populaire. Ça va, ça vient... Il est tellement commode, pour ne pas dire complaisant, qu'on lui a confié l'acte sexuel. À quoi rêvent les ados ? À ça. *Je ne pense qu'à ça*, titre d'un album de Wolinski. Peut-on résumer plus brièvement une activité à laquelle la tradition française du cinq à sept attribue deux heures de temps ?

Ça, c'est aussi, dans la bouche des polémistes ou sous la plume des écrivains, un mot terrible chargé d'ironie, de dédain ou de mépris. Ça, c'est-à-dire pas grand-chose, trois fois rien.

« Mme de Staël regardait un jour M. de Barante dans une sorte de contemplation rêveuse. Tout à coup, elle s'écria :

– Quand je pense que j'ai aimé ça ! » (Victor Hugo, *Choses vues*).

« Gilbert, le pédéraste, rentrant par hasard dans le cabinet de toilette d'Émilienne d'Alençon, la trouvant à cheval sur le bidet et, du bout de sa canne, montrant avec dégoût l'entrejambe de la belle prostituée : “Quand on pense que c'est avec *ça* qu'on nous prend nos hommes !” » Paul Morand, *Journal inutile, 1968-1972* (c'est Morand qui a souligné le *ça*).

Mais *ça* peut aussi désigner du beau et du bon. Vous devriez lire ça… C'est bien comme ça… Ça, c'est Paris !

« Le triomphe culinaire de la Bonne-Franquette, c'était un veau aux carottes, un de ces veaux aux carottes dont les véritables amateurs s'écrient : *Je ne vous dis que ça !* » (Alphonse Allais, *Amours, délices et orgues*).

Un dessin de Sempé met en scène un homme qui, se contemplant avec satisfaction dans une glace, s'exclame : « Quand je pense que ça va disparaître, un jour, ça ! »

À propos…

Couci-couça : moyen, ni bien ni mal, entre les deux. « Comment allez-vous ? – Couci-couça. »

Pour amateurs de conjugaison : « Savez-vous coudre ? – Couci-couça. »

Caboche

De la flopée de synonymes familiers ou argotiques du mot *tête*, *caboche* (qui serait une variante du mot picard *caboce*, la bosse) est le meilleur. Le plus compact, le plus minéral, le plus inébranlable. *Quelle caboche ! Une sacrée caboche ! Avoir la caboche un peu dure*, être entêté, ne céder sur rien. *Un drôle de cabochard !* « Mais tu n'as donc rien dans la caboche ? » disait l'instituteur de mon village en tapant de son index replié sur la tête de l'élève, comme s'il frappait à petits coups sur une porte pour entrer.

On peut souffrir d'un mal de tête, se casser la gueule, recevoir un coup de boule, se fracturer le crâne. La caboche, elle, ne craint rien.

À propos…

> *« Non, ça n'déracine pas*
> *ça fait à sa tête de travers*
> *cette idée-là, bizarre ! qu'on a*
> *tête de caboche, ô liberté. »*
>
> Gaston Miron,
> « Tête de caboche »,
> in *L'Homme rapaillé*

Cadole

Dans le Beaujolais, ainsi que dans le Mâconnais et le Chalonnais, la *cadole* est une cabane située au milieu des vignes. Construite en dur, avec sur le toit des tuiles rouges ou des tôles ondulées, elle était assez grande pour que le vigneron y range ses outils, sa sulfateuse, et même sa charrue. Les tracteurs en ont fortement réduit l'utilité, de sorte que beaucoup de cadoles ont disparu du paysage. Il en reste cependant assez pour entrer dans des circuits touristiques.

Dans la cadole du petit vignoble familial, j'ai passé, du 27 au 28 juillet 1944, une nuit comme de temps en temps les enfants en raffolent : étrange, désordonnée, rieuse, peccamineuse, hors du temps et dans un lieu inconfortable. Pourtant les circonstances étaient tragiques. Vers vingt heures trente, deux avions allemands avaient bombardé et mitraillé la petite ville de Beaujeu, distante de notre hameau d'environ quatre kilomètres à vol d'oiseau. Trois morts, des blessés, des maisons détruites. Nous regardions et nous entendions, non sans frayeur, les avions faire des cercles dans le ciel, tout à coup piquer ou lâcher leurs bombes.

Ma mère décréta qu'ils pourraient revenir la nuit, se tromper de cible et anéantir notre maison et nos vies. Elle décida que nous passerions la nuit dans la cadole où nous serions plus en sécurité. Le commis de la ferme nous aida à transporter de vieux matelas sur lesquels dormaient les vendangeurs, ainsi que de légères couvertures pour une nuit d'été. J'avais neuf ans, mon frère quatre, et nous accompagnait, outre ma mère, une petite Lyonnaise de mon âge qui était réfugiée chez nos amis vignerons.

Ce fut une nuit pleine d'étoiles et sans avions. Sous le regard toujours inquiet de ma mère, nous avons joyeusement pique-niqué sur l'herbe d'un *charroir*, sentier qui sépare deux vignes. Nous avons fait les lits à la diable sur la terre battue de la cadole, les matelas serrés les uns contre les autres. En dépit des remontrances et des menaces de punition, nous avons, la petite fille et moi, chuchoté, ri, nous nous sommes frôlés, chatouillés, mamourés jusqu'à une heure où la cadole, la porte ouverte, laissait entrer un peu de fraîcheur et l'illusion de la paix.

Calculer

« À la sortie de la boîte, je l'ai vu : il m'a calculée… »

Habile invention du langage des jeunes, cet emploi très élargi du verbe *calculer.*

Le garçon ne s'est pas contenté de dévisager la fille, de la regarder, de l'examiner, de la déshabiller, de l'expertiser. Il est allé plus loin. Constatant qu'elle lui plaisait, il a pesé ses chances de lui plaire. Il a jaugé son caractère. Il s'est demandé si elle aimait faire l'amour ou pas. Il s'est interrogé sur la meilleure façon de l'aborder et de la séduire. En quelques secondes, il l'a calculée. Au risque, évidemment, comme dans tous les calculs mentaux, de se tromper.

Canaille

Nos dictionnaires usuels ne suivent pas l'évolution du mot *canaille.* Certes, ils rappellent que sous ce terme vieilli sont rassemblés les gens malhonnêtes, la populace sans foi ni loi. Une canaille est une fripouille qui peut aller jusqu'au crime. Mais, déjà, la vieille canaille de Serge Gainsbourg se contente de lui voler sa femme, son porto et sa vaisselle. «Je s'rai content quand tu s'ras mort, vieille canaille.»

Puis il a suffi de montrer de la vulgarité avec un peu d'arrogance et de perversité pour être qualifié de canaille : des manières canailles, des airs canailles, des propos canailles.

Depuis quelques années, le mot n'est plus aussi péjoratif. Il a gagné en humour et cela lui a donné une meilleure image sociale. Ainsi appelle-t-on plats canailles quelques vieux plats de la cuisine française, comme les ragoûts, les potées, le bœuf miroton, la tête de veau, les rognons, les tripes, le boudin, le coq au vin, etc., tous ces mets d'autrefois qui s'opposent à la cuisine chic d'aujourd'hui et qu'on continue de manger en famille ou entre copains, sans façon, la serviette autour du cou, en buvant des vins de soif qu'on pourrait aussi appeler vins canailles.

L'expression « sieste canaille » est très employée dans le Midi par les estivants. C'est une sieste durant laquelle un couple ne se contente pas de dormir. On parle aussi de « sieste crapuleuse ».

Le mot commence à s'introduire dans les vêtements : une jupe canaille, un décolleté canaille, un slip canaille. Autrement dit, osés, provocateurs.

Il m'est arrivé de faire des *Apostrophes* canailles.

Carabistouille

L'un de mes *100 mots à sauver*. En 2004, il ne figurait ni dans le *Grand* ni dans le *Petit Robert*. Mais il était présent, au pluriel, dans le *Petit Larousse*. « Par pitié, qu'on l'y laisse ! » suppliais-je. Non seulement il y est toujours, mais il a été récupéré par le *Petit Robert*. Qui écrit que c'est un mot belge. De fait, quand je suis allé à Bruxelles et à Lille présenter mon livre, les journalistes s'étonnaient qu'il fût ignoré des Parisiens, et plus encore des Français d'au-dessous de la Loire.

Les *carabistouilles* ont beaucoup plu aux collégiens. De tous les mots à sauver, c'est celui qu'ils se promettaient d'employer le plus souvent. Il est aussi amusant à prononcer que facile à comprendre. Les carabistouilles sont de petits mensonges, de petites bêtises. Quand j'en avais le temps, je dédicaçais ainsi le livre : « *À..., sans billevesées ni carabistouilles, ni balivernes, ni calembredaines, ni fariboles, donc, sincèrement, avec...* » Tous ces mots sont très proches les uns des autres, et leurs nuances prouvent la richesse malicieuse de la langue française.

> Ouille !

Cardon

Le cardon est à la bette (ou blette) ce que le lièvre est au lapin d'élevage : beaucoup plus goûteux. Le cardon est un haut et volumineux légume d'automne cultivé surtout en Provence et dans la vallée du Rhône. On le fait étioler, c'est-à-dire blanchir, en l'enfermant dans des caves ou des galeries souterraines où il est privé de lumière. Dans mon enfance on mangeait les premiers cardons pendant les fêtes de fin d'année. Il est maintenant sur les marchés beaucoup plus tôt. Les circuits de blanchiment, du cardon comme de l'argent, battent des records de rapidité.

La cuisine lyonnaise en a fait un légume gastronomique. Gratiné avec une sauce blanche, au jus de viande ou à la moelle, son amertume procure un vif plaisir. Ma mère servait toujours ses cardons gratinés – elle leur ajoutait in fine de la moelle – avec une volaille ou une pièce de bœuf au jus généreux et odorant. Les cuisinières ont du mérite à éplucher les côtes de ce légume ligneux, car leurs doigts deviennent tout noirs. Il faut longtemps et souvent les frotter pour qu'ils retrouvent leur couleur naturelle. Plus besoin aujourd'hui aux femmes (et aux hommes) d'éplucher les cardons et de donner ainsi une réelle preuve d'amour à leur famille : on les trouve en conserve. Mais rien ne vaut leur exubérante fraîcheur du marché.

À propos…

En Beaujolais, non seulement on enfermait les cardons durant l'hiver dans les caves, mais, pour qu'ils deviennent très blancs, on les entourait aussi de paille. D'où l'ironique expression, au début de l'été, quand les hommes et les ados dénudent leurs gambettes toutes pâlottes : « Tu as dépaillé les cardons ? »

> Gourmandise

Cauchemar

Encore une inégalité entre les hommes : les cauchemars. La plupart sont abonnés à des cauchemars banals, qui ne sont que les répétitions aggravées des angoisses éprouvées dans la vie courante. Ouverts ou fermés, les yeux frémissent sur des images de faits divers, des scènes de la hantise ordinaire. On dort mal, on se réveille en sueur, le cœur en déroute, et quand nous nous rappelons ce qui nous a mis dans cet état, nous sommes consternés par la médiocrité du scénario.

Et puis il y a ceux, les veinards, même s'ils ont très peur, qui font des cauchemars dont l'originalité atteste de la créativité de leur inconscient. Soit ils sont ailleurs, dans un autre monde ou dans un autre temps, où de terrifiantes métamorphoses les jettent dans des paniques inédites ; soit ils restent sur notre plancher des vaches, mais il y a de la poésie, du surréalisme, et même de la métaphysique dans l'orchestration nocturne de leur pétoche.

Mes cauchemars appartiennent, bien sûr, à la première catégorie, pour psychanalystes stagiaires.

Mais n'est-il pas normal que le réel colle de nuit comme de jour au cérébral des journalistes ? Les poètes, les romanciers, les auteurs dramatiques, les cinéastes, eux, peuvent et doivent se laisser aller.

À propos…

On disait autrefois : « Couche-tard, cauchemar. » Plaisante allitération pour expédier les enfants et les adolescents se coucher de bonne heure.

Cédille

Ah ! la cédille ! Habile et malicieuse petite chose qui se glisse sous le *c* pour en faire un *s*. Exemple : *soupçon*. Qui pourrait s'écrire : *soupson*, ou *çoupson*, ou, plus rigolo, *çoupçon*. Avec deux cédilles, *çoupçon* paraîtrait plus suspicieux…

De tous les signes d'écriture et de ponctuation, la cédille est le plus humble puisque le seul placé sous les mots, au-dessous de la ligne de flottaison de la phrase. La cédille ressemble à un 5, à un petit crochet, à un appendice, à une minuscule chauve-souris suspendue au mot la tête en bas.

Voyez la cédille du *hameçon* : ne dirait-on pas un hameçon ?

Voyez la cédille du *poinçon* : ne croirait-on pas une sorte de poinçon ?

La cédille est la reine du transformisme. Non seulement elle change une lettre en une autre lettre, mais sa morphologie se prête aux interprétations que suggère le mot auquel elle est liée. Ainsi la supériorité de notre *garçon* sur ses camarades étrangers : le *boy*, le *ragazzo*, le *muchacho*, le *Junge*, etc., tient à ce qu'il a un sexe et qu'il le montre. Met-il un caleçon ? Il continue d'afficher sa virilité.

Pas grave de ne pas avoir de tire-bouchon pour ouvrir une bouteille, à condition que ce soit du jurançon ou du saint-pourçain : il est fourni avec le vin. Dommage que l'échanson n'ait pas eu cette commodité, comme il est regrettable que jadis la moisson n'ait pas proposé une serpette aux pauvres paysans.

La cédille a été inventée et employée pour des raisons pratiques, pour qu'on ne confonde pas, par exemple, le *mâcon* avec le *maçon*. Mais elle ne s'est pas résignée à cette fonction utilitaire. Comme ces garçons et filles de piste qui accèdent un jour au centre du cirque pour y faire à leur tour un numéro, la cédille est devenue une magicienne.

À propos…

Comment les frères Renaud et Gautier Capuçon ne seraient-ils pas devenus de grands musiciens, avec une clef de *fa* attachée à leur nom ?

Chafouin, ine

Pourquoi ai-je toujours apprécié l'adjectif *chafouin* tout en espérant ne l'avoir jamais été ? Le mot est une créature hybride née du rapprochement du *chat* et du *fouin*, masculin de *fouine*. Un type chafouin arbore un air sournois, rusé, dissimulé. Il a la mine hypocrite de Raminagrobis. C'est peut-être grâce à Louis de Funès, qui jouait à merveille les chafouins, que j'aime le mot.

La chafouinerie existe. Ou plutôt existait. Charles Dantzig l'a récemment ressuscitée. « Alexandre Dumas est un généreux. La chafouinerie n'est pas dans son tempérament. Il n'aime pas Louis XIII, roi assez chafouin, et force sans doute dans sa chafouinerie comme personnage » (*Pourquoi lire ?*).

> Madré

Chambre-bibliothèque

Il faut déconseiller la présence de livres dans les chambres. On ne dort pas bien adossé à une bibliothèque. Vous, douillettement allongé, les volumes, eux, debout, verticaux, qui vous font la tranche ! Ils en ont marre de n'être jamais pris et lus ; ils voudraient bouger et ne plus dormir. Leurs couvertures jalousent celles du lit, molles, étalées, avec des plis vulgaires. Ils détestent plus encore les journaux, en vrac, par terre, ou les nouveaux livres, en pile sur la table de chevet, choisis sur une liste de best-sellers. Ils ne sont pas dignes de prendre place à côté d'eux. D'ailleurs il n'y a plus de place.

Les livres ne sont pas des paquets de mots inertes. Les romans, surtout, émettent des ondes qui se glissent dans la tête sans défense du dormeur et se mêlent à ses rêves quand ils ne les déclenchent pas. Quelle imprudence de passer la nuit dans la compagnie de la veuve Couderc, de Raskolnikov, de Créon, de la Merteuil, de Ganelon, de Meursault, de Fantômas, de Thérèse Raquin, d'Œdipe, de Rastapopoulos, de Macbeth, de Mme Mac'Miche, des Atrides, de Thénardier, de la statue du Commandeur… Il faut craindre ces méchants personnages de roman et de théâtre. Ils sortent des livres, au mieux pour tirer les pieds ou les oreilles de celui ou de celle qui croit dormir en paix, au pire pour le ou la plonger dans des cauchemars. Portes closes, volets fermés, rideaux tirés, on s'est coupé du monde, alors qu'on est couché à quelques mètres ou centimètres d'un autre monde, du crime, de la trahison, de la vengeance, de la colère de Dieu, royaume barbare installé par légèreté et imprévoyance culturelles dans la pièce la plus intime.

À cela il sera objecté que la littérature classique abonde aussi en héros, saints, fées de bienfaisance, protecteurs, femmes de bonté, hommes de courage, personnages au grand cœur, et qu'ils peuvent tout autant se manifester la nuit que les affreux. Eh bien, non, l'expérience nous apprend que, figés dans leurs bons sentiments, ils délaissent rarement leur position vertueuse, alors que les scélérats, les criminels et les maudits, cherchant sans cesse, surtout la nuit, à s'évader des pages où les écrivains avaient cru les enfermer, sont irrésistiblement attirés par les innocents dormeurs.

La présence dans la bibliothèque de la chambre de Don Juan, Casanova, Sade, des libertins du XVIIIe siècle, de Miller

(Henry), de Bataille, de Pauline Réage et d'autres auteurs du coït ininterrompu stimule-t-elle ou paralyse-t-elle la pratique de l'amour ? Les expériences sont contradictoires. Selon une enquête de l'institut américain *Love, sexe and bed*, la lecture de quelques pages érotiques encourage vivement les partenaires – on s'en doutait –, alors que l'irruption dans la tête d'un homme en pleine activité sexuelle du nom d'un écrivain ou d'un personnage érotomane peut couper brutalement son effort. Surtout si la femme, les yeux encore bien ouverts, s'exclame : « Ah ! mais je n'avais pas remarqué, chéri, que tu as *Les Onze Mille Verges* d'Apollinaire ! »

> Cuisine-bibliothèque, Lecture (1),
Salon-bibliothèque, W-C-bibliothèque

Chat (1)

« Nous autres, chats d'appartement, n'ayant plus à courir après les souris, nous avons attrapé des idées. Nous traquons les concepts, nous flairons les signes, il nous arrive même de jouer avec les mots. "J'ai lâché la lamproie pour l'omble", aurait récemment dit la chatte futée d'une halle aux poissons. »

Ainsi commençait un livre sur les chats dont j'écrivis une vingtaine de pages et que j'abandonnai, jugeant que le narrateur ressemblait trop à un homme et pas assez à un chat. L'excès d'anthropomorphisme est un défaut récurrent des fictions animalières.

Donner la parole aux chats est par ailleurs une ineptie, même si de grands écrivains l'ont fait – Charles Perrault, Balzac, Marcel Aymé entre autres. Hormis leurs cris rauques et chants d'amour quand les chattes arquent leurs reins, ce sont des rêveurs, des taiseux. C'est leur nuire gravement que d'en faire des Pipelet, des baratineurs, des philosophes, ou même des écrivains. Leur langue ? Le silence. Paul Morand l'a bien dit : « Les chats ne sont énigmatiques que pour ceux qui ignorent le pouvoir expressif du silence » (cité par Frédéric Vitoux dans son *Dictionnaire amoureux des chats*).

Michel Onfray est plus explicite : « Du réel, sur lequel il (le chat) porte un regard acéré, il comprendrait tout, mais se ferait une loi de n'en rien dire. Témoin nonchalant, il installerait au sommet de la sapience le mutisme intégral, versant définitivement du côté du mystère : ceux qui se taisent ne le font qu'en vertu des relations privilégiées entretenues avec un idéal qui rend caduc le langage. Bouche close plutôt que soliloque. Mon chat ne parle pas car il sait la vanité du babillage, certainement » (*Le Désir d'être un volcan*).

À propos…

« Mallarmé raconte que, la nuit, il écoute les chats qui se parlent dans les gouttières. Ça ne l'intéresse pas vraiment jusqu'à ce qu'arrive son propre chat, brave Raminagrobis, très sage, qu'un autre chat interroge : "Qu'est-ce que tu fais en ce moment ?", et le chat de répondre : "Je feins d'être chat chez Mallarmé" » (André Malraux, *Antimémoires*).

Chat (2)

À Pierre Roudil

Avec l'âge, il était devenu sourd. Mais son regard était resté celui d'un chat que les gourmandises de la table et de l'esprit n'avaient ni blasé ni usé. Peut-être pouvait-on juste observer dans ses grands yeux en amande une légère tendance du vert à foncer, comme si le temps, au lieu de délaver l'iris, avait fortifié ce qu'on pourrait appeler les teintes de la contemplation.

Il lisait et ce fut une chance qu'il pût lire jusqu'au bout. Mort à vingt-trois ans et demi, comme beaucoup d'archivistes, de bibliothécaires, de chartistes et de moines érudits que Dieu très longtemps oublie, cachés qu'ils sont entre des montagnes de papier, il devait probablement son grand âge à son intimité avec les livres. Froid, raidi, ses yeux restés ouverts semblaient continuer de scruter des images ou des mots. Avait-il déjà, ailleurs, repris ses lectures ? Était-il passé, presque à son insu, d'un logis-bibliothèque à un autre ?

S'étonnait-il de ne pas m'y trouver ? Les chats ne s'étonnent de rien, pas même de lire. Tourner la page, il savait.

Arrivé sans pedigree, sans papiers, sans diplôme, mais avec la recommandation d'une secrétaire avisée, il se fixa chez nous l'année même où je débutais à la télévision. Mes angoisses, il s'en fichait. Encore tout petit, quoique joueur, il était d'un naturel rêveur, souvent réservé. Il avait compris qu'il n'aurait dans cette maison qu'un rival : le livre, et qu'il était de son intérêt, surtout pas de se mesurer à sa multitude, à sa disponibilité et à ses mystères, mais de s'en faire un obligé par la lecture. Il devint donc aussi sérieux qu'un autodidacte.

Trop sérieux, même. Bien plus que moi. J'avais beau lui expliquer que, dans la vie, il n'y a pas que la littérature, il était réfléchi et grave comme un ouvrage des Presses universitaires de France. Par notre appétit pour les poissons et pour les viandes, nous nous ressemblions, mais je ne pouvais pas le suivre dans ses longues séances de déconstruction romanesque ou de ressassement ontologique.

Quand il réfléchissait, il avait horreur d'être dérangé. Une photo le montre, couché dans un fauteuil du salon et entouré d'Yves Montand, de François Périer et de Michel Piccoli, auxquels il avait refusé de céder la place. La célébrité ne l'impressionnait pas alors que mes amis étaient épatés par sa souveraine et popote manière d'exercer son bon droit. Quand une équipe de télévision ou des photographes apparaissaient dans le couloir d'entrée, il fuyait au fond de l'appartement où, caché, il attendait le départ de ces importuns. S'il avait été journaliste à la télévision, il eût été heureux d'être dans un placard – avec un bon bouquin.

Je crois qu'il m'aimait parce que je lisais. Il y avait alors entre nous une connivence devant laquelle cédait son mauvais caractère, à tout le moins sa circonspection. Il s'installait à mes pieds ou sur ma table et ronronnait d'une affectueuse complicité littéraire. Moi, j'étais aux anges, je fondais, et il est de fait que les livres que j'avais alors sous les yeux bénéficiaient d'un attrait, d'un charme, d'une plus-value dont étaient privés les ouvrages que j'avais entre les mains quand il ne m'assistait pas, ou de trop loin, dans mes lectures. De cette manière, mon chat aura beaucoup influé sur mes jugements.

Et même sur mes choix. Venait-il à se coucher sur le volume ouvert qu'il était manifeste qu'il me déconseillait d'en poursuivre la lecture. Avait-il remarqué que je bâillais ? L'avait-il feuilleté la nuit précédente quand je dormais ? En vingt-trois années et demie de vie commune et de commerce partagé avec les livres, jamais il ne commit un impair, à savoir m'interrompre dans la lecture d'un ouvrage où je prenais du plaisir. Discernement et délicatesse. Il savait lire dans le regard d'un lecteur.

Comme tous les chats, curieux des paquets qui entraient dans la maison, il flairait les livres apportés par le facteur et les coursiers. Ayant remarqué qu'il négligeait certains pour se complaire avec d'autres, j'ai cru qu'il me donnait là un premier avis. Mais j'avais tort. Peut-être voulait-il voir jusqu'à quelles extrémités ma confiance en lui pouvait me conduire ? Si j'avais entériné ses choix à travers le papier d'emballage, je l'aurais certainement déçu. J'ai dit que c'était un chat très sérieux.

Et beau. Quoique né d'occurrences et de gouttières, il avait la classe d'une édition originale sur grand papier. Le poil blanc et gris sombre, il était haut sur pattes, costaud, et il se faufilait avec élégance entre les piles de livres. Il ne s'appelait pas Proust ou Montaigne mais, tout simplement, Rominet. Quand, à haute voix, je lisais une page qui m'enchantait, il ouvrait ses oreilles et ses pattes frémissaient (paru dans *Le Journal du dimanche*, 8 décembre 1996).

À propos…

« Marcel Aymé avait un chat qu'il adorait, qui venait sur son bureau réclamer des caresses pendant qu'il écrivait. Un jour qu'il avait un texte à finir, il a repoussé le chat. La bête est allée à la fenêtre, s'est jetée dans le vide et s'est tuée. Marcel me disait doucement : "Mon chat s'est suicidé." Sans doute que le chat a simplement glissé, mais c'est tellement plus beau comme ça » (Yves Robert, *Un homme de joie*).

Chatoyant, ante

Chatoyant, ante : qui chatoie, qui change de reflets suivant l'éclat et l'inclinaison de la lumière. Assez rarement employé, cet adjectif, si je le rencontre au cours d'une lecture, m'évoque aussitôt Vladimir Nabokov. *Chatoyant* était l'un de ses mots français favoris. Il le prononçait avec gourmandise, presque volupté, le détachant bien du reste de la phrase. Il en articulait les trois syllabes comme s'il les chantait, *cha-toy-yant*, la dernière plus encore si c'était la féminine -yante. Elle devenait alors une note prolongée.

Quand j'étais allé voir Nabokov dans le vieux palace de Montreux, où il vivait à demeure, pour le décider à venir à *Apostrophes*, j'avais été interloqué, tandis que nous prenions le thé avec son épouse, de l'entendre dire « chatoyant » à propos de je ne sais plus quoi. Les arbres du parc ? Le service à thé ? Les couleurs de Paris ? La littérature ?

Je ressentis déjà moins d'étonnement, bien qu'étant tout aussi émerveillé, lorsqu'il employa son chatoyant adjectif pendant l'émission. Il évoqua les mauvais lecteurs et les bons lecteurs, ceux-ci apercevant tout à coup « une phrase chatoyante ».

Dès la troisième page de *Lolita* (dans la traduction de Maurice Couturier, 2001), les bons lecteurs remarquent le cher adjectif nabokovien : « J'étais un enfant heureux et en bonne santé, et je grandis dans un monde chatoyant de livres illustrés, de sable propre, d'orangers, de chiens affectueux, de perspectives marines et de visages souriants. »

Et même les commentateurs ou exégètes de Nabokov succombent à sa chatoyante influence. Ainsi George Steiner, dès le début de son portrait : « Ce virtuose de l'imaginaire n'imagine, au fond, que le chatoyant cortège de ses travaux et de ses jours » (*Chroniques du New Yorker*).

À propos…

Vladimir Nabokov avait un regard d'architecte-décorateur et un œil de peintre. Il donnait à voir, en particulier les couleurs. Entre autres mots se rapportant aux coloris, il aimait aussi beaucoup *bigarrure* et *bigarré*.

Chevreau

Petit garçon, aidé d'un enfant de mon âge et d'un chien, je gardais les chèvres et les moutons d'une ferme de Charnay, village du Rhône, où mes parents me mettaient parfois en pension pendant les vacances. Nous emmenions le troupeau brouter dans un pré que nous atteignions après une longue procession entre des talus et des murs de pierre que les chèvres escaladaient avec malice et légèreté. J'aimais leurs caprices, leur refus d'obéir, leur entêtement, leur tempérament fugueur, alors que la soumission groupée des moutons ne suscitait chez moi ni reconnaissance ni sympathie.

Plusieurs chèvres mirent bas. Dès qu'ils commencèrent à se tenir sur leurs pattes et à jouer, leurs petites têtes tantôt levées, tantôt baissées pour exprimer curiosité ou regimbement, les cabris devinrent des amis et des jouets. Je ne me lassais pas de les contempler, de les caresser, de les bichonner, de leur parler, de me rouler avec eux dans la paille. J'étais toujours volontaire pour les emmener téter leur mère. Et, quand vint le temps des biberons, je ne laissais à personne le plaisir de fourrer la tétine entre leurs lèvres déjà humides d'avidité. Chaque matin, avant de partir avec le troupeau, je leur disais au revoir, les embrassais et les serrais contre moi avec toute la tendresse de mes jeunes années.

Un jour, un peu avant midi, la pluie menaçant, nous rentrâmes plus tôt que d'habitude. Le troupeau s'engouffra dans la cour, les moutons devant, les chèvres derrière, éparpillées ; tous, nous nous dirigions vers l'étable quand je vis, comme crucifiés sur la grande porte de bois, les corps dépouillés, sanguinolents, des cabris. Le boucher lavait ses couteaux dans un seau, de la paille rougie formait un tas sur lequel étaient posés des chiffons tachés du sang des animaux.

Je poussai un cri. D'horreur ? De colère ? De détresse ? De révolte ? Ce cri résonna longtemps aux oreilles des fermiers et de leurs deux garçons. Ce cri, il me semble encore l'entendre, comme s'il était gravé dans le disque dur de mon enfance.

Chocolat

Le chocolat est-il une drogue ? Assurément. Beaucoup d'impénitents croqueurs sont soumis au chocolat comme de fieffés renifleurs à la cocaïne. À cette différence près que les fèves de cacao sont libres de commerce et qu'on en tire, en poudre, solide ou liquide, une gourmandise autorisée par la République et par la Faculté.

Qui est en manque de chocolat n'ouvre pas délicatement une tablette. Il la saisit avec fébrilité, il passe un doigt sous le rabat de l'enveloppe, il l'arrache, il déchire le papier d'argent, il met à nu la tablette, désormais prisonnière de ses mains, de ses yeux, bientôt soumise à sa concupiscence. Avec le ballotin, il n'a pas plus d'égards. Trop long de défaire le nœud. S'il a des ciseaux, il coupe. Ou bien il tire sur le ruban jusqu'à ce qu'il cède. Ou, s'il n'est pas trop serré, il le fait glisser le long de l'emballage dont il ouvre ensuite prestement les rabats. Il extirpe le papier fantaisie du dessus et, scrutant les différents chocolats qui s'offrent à lui, il saisit déjà le premier de ce qui sera une longue montée au paradis des Aztèques.

Le foie, bien sûr. Ah ! le foie ! Comment se présente le foie d'un fou de chocolat ? L'image est brouillée. Rouge sombre. Couleur lie-de-vin, cacao. De quoi se faire de la bile. Frédéric Dard se flattait d'avoir réalisé l'« union sacrée » de son foie et du chocolat.

Il avait réussi à l'éduquer, et même à le dresser, car « le foie est, bien avant le cheval, la plus belle conquête de l'homme » (préface au livre de Martine Jolly, *Le Chocolat, une passion dévorante*).

Le foie dompté, restent les reins. Inapprivoisables, même pas influençables, les reins. Deux têtes de nœud. Ils fabriquent des cailloux. Et quand les cailloux veulent se tailler un chemin dans nos bas-fonds, ouille ouille ouille ! Lors de ma seconde crise de coliques néphrétiques, le chirurgien me demanda d'observer la petite chose dure qu'il avait extraite de ma tuyauterie intime et qu'il tenait entre le pouce et l'index. « On distingue très bien, me dit-il, les strates chocolatières. De haut en bas : la Maison du Chocolat, Bernachon, Valrhona, Côte d'Or, Lindt, mais certaines marques m'échappent sûrement. Je n'ai pas votre compétence… »

Aux journalistes qui lui demandaient, avec des airs de limiers du fisc, pourquoi il vivait en Suisse, Frédéric Dard répondait : « Parce que j'aime le chocolat. » C'était plus le chocolat au lait que le noir qui, du temps où les frontières n'étaient pas des conventions, méritait le détour par Genève. Vladimir Nabokov : « Il est impossible de retrouver le goût du chocolat au lait suisse de 1910, cela n'existe plus » (*Apostrophes*, 30 mai 1975).

Je crois que nous avons tous dégusté, un jour, un chocolat, craquant sous la dent ou fondant sur la langue, qui nous a laissé un souvenir si exquis que, tout au long de notre vie, nous dévorons des montagnes de chocolat pour retrouver ce que nous savons bien à tout jamais perdu. Car ce n'est pas ce chocolat qui n'existe plus, mais nous, tels que nous étions, quand nous l'avons tant aimé.

À propos…

Être chocolat : être grugé, à tout le moins frustré. Ne pas avoir obtenu ce qu'on espérait. S'être fait avoir. Il y avait jadis au Cirque de Paris deux clowns qui s'appelaient Footit et Chocolat. Celui-ci était la dupe de celui-là. À la fin de chaque scène, Footit se moquait de son compère en lançant : « Il est Chocolat », lequel, faussement consterné, s'exclamait : « Je suis Chocolat. » Le succès du numéro assura la prospérité de l'expression *être chocolat*.

> Corps, Mots gourmands dévoyés

Chose

Un jour, j'eus l'idée d'une émission qui se serait intitulée « Le petit quelque chose en plus ». Beaucoup de gens illustres ou célèbres, de jadis, d'hier et d'aujourd'hui, ont ajouté aux exploits, aux activités, admirables ou détestables, qui leur ont valu ou qui leur valent leur renommée un petit quelque chose. Ce détail, cette particularité, ce « gimmick », ou mieux cette mini-mythologie, est devenu tellement connu du public qu'il les identifie spontanément. Exemples : le tonneau de Diogène, la moustache de Dalí, la main de Napoléon dans son gilet, le chapeau de Mitterrand, la madeleine de Proust, la chemise blanche échancrée de Bernard-Henri Lévy.

Cette singularité est soit une caractéristique physique, soit un vêtement, soit un accessoire, soit un animal, soit toute chose à laquelle leur image est immédiatement liée, leur réputation indéfectiblement associée.

Cela vaut aussi pour des personnages imaginaires auxquels leurs créateurs ont donné un « truc » original qui ne s'oublie pas. Exemple : le nez de Cyrano.

Toutes les femmes et tous les hommes passés à la postérité ou installés dans la considération du moment n'ont pas « un petit quelque chose en plus ». Mais beaucoup le possèdent. Mettez au cours d'un repas la conversation là-dessus et vous constaterez que les convives, piqués au jeu, feront assaut de références. Dans le désordre ils citeront probablement :

- le panache blanc d'Henri IV
- la cuisse de Jupiter
- l'oreille de Van Gogh
- la dictée de Mérimée
- les bananes de Joséphine Baker
- la moustache de Staline
- les yeux de Michèle Morgan
- l'épée de Damoclès
- les pommes de Cézanne
- le bandana de John Galliano
- la barbe de Victor Hugo
- les lunettes de Trotski

- le chapeau de Gaston Defferre
- le masque de Zorro
- la cigarette de Michel Houellebecq
- la pomme de Newton
- le sourire de la *Joconde*
- la cafetière de Balzac
- le chapeau de Marc Veyrat
- les yeux d'Elsa (Triolet)
- les chats de Léautaud
- la canne de Charlot
- la tête de veau ou la bière Corona de Chirac
- le nez de Cléopâtre
- la petite robe noire de Piaf
- la surdité de Beethoven
- la salopette de Coluche
- le cigare de Churchill
- le keffieh d'Arafat
- les seins de Sophie Marceau
- le manteau de saint Martin
- le chien de Michel Drucker
- le fauteuil de Molière
- l'imperméable d'Humphrey Bogart
- l'imperméable et le cigarillo de l'inspecteur Colombo
- la moustache d'Hitler
- le tournedos Rossini
- la voix éraillée de Mauriac
- le chapeau de Monsieur Hulot
- la pipe de Simenon et de Maigret

- les lunettes de Harry Potter
- la pomme de Guillaume Tell
- la barbe de Raspoutine
- la rose de Nehru
- l'entrejambe de Sharon Stone (*Basic Instinct*)
- la brouette de Pascal
- le mégot au coin des lèvres de Prévert
- les lunettes d'Elton John
- la frange de Louise Brooks
- l'écharpe rouge de Pierre Rosenberg
- le canotier de Maurice Chevalier
- les loups d'Hélène Grimaud
- le parapluie de Chamberlain
- le crâne rasé de Yul Brynner
- la moustache de José Bové
- la poitrine de Mae West
- la langue tirée d'Einstein
- les lunettes noires, le catogan
  et les gants de Karl Lagerfeld
- le crâne rasé de Barthez (« le divin chauve »)
- le chapeau et la fleur à la boutonnière de Charles Trenet
- la baignoire de Marat
- la pomme d'Ève et d'Adam
- les chats de Colette…

Cette liste est loin d'être exhaustive. Et déjà, vous, lectrice, lecteur, avez pensé à d'autres petits « quelque chose en plus ». Chaque émission quotidienne n'aurait pas duré plus de deux minutes. Juste assez de temps pour expliquer le pourquoi et le comment de ce détail qui est resté dans la mémoire des hommes. Illustrations. Vérité ou légende ? Deux minutes de culture et de récréation populaires. Ou, si l'on préférait, une émission thématique plus longue : les moustaches, les lunettes, les animaux domestiques, les chapeaux, etc.

Mais quand j'ai eu l'idée de cette série, en 2006, je n'étais plus grand-*chose* à la télévision. Dix ou vingt ans auparavant, quand on considérait que j'y faisais de grandes *choses*, ça n'aurait pas été la même *chose*. Les *choses* étant ce qu'elles sont, devant les jeunes technocrates des chaînes du service public, il faut dire les *choses*, je n'étais plus qu'un « has been ». Mon influence, mon prestige dataient un peu, c'était dans l'ordre des *choses*. « Je ne vois pas bien la *chose* », disait l'un ; « Ce ne sera pas une *chose* facile à faire », disait l'autre. Bref, refusé. Ce sont des *choses* qui arrivent. Mais ça m'a fait quelque *chose*...

Le mot *chose* est un miracle de la langue française. Il peut tout remplacer : des objets, des idées, des souvenirs, des projets, des paroles, des sentiments, des utopies. Et même le sexe : il est porté sur la chose. Et même la justice : l'autorité de la chose jugée. Et même le temps : le cours naturel des choses. Et même Dieu : je pense que derrière tout ça il y a autre chose.

La *chose* est tellement malléable et transformable qu'elle accepte le genre masculin. Pour remplacer un machin, un truc, un bidule. Un *chose* bizarre. Un petit *quelque chose*. À ce propos, où en est le projet du « Petit quelque chose en plus » ? Dans l'état actuel des choses, nulle part. Mais quelque chose me dit…

Chouette

Qu'elle ne me fasse pas de gros yeux ronds courroucés, la chouette des bois, des parcs ou des clochers. Qu'elle ne chuinte ou ne hulule pas contre moi. Car, ici, il ne s'agit pas d'elle, mais de l'adjectif *chouette* qu'elle a inspiré. C'est beau ! Oui, c'est beau ! Mieux : c'est chouette !

« Le fils, hésitant : … C'est cette expression "c'est beau"… ça me démolit tout… Il suffit qu'on plaque ça sur n'importe quoi et aussitôt… tout prend un air…

Elle : Je comprends… ça devient convenu… n'est-ce pas ? (…)

Le fils : Oui. C'est assez chouette, je te l'accorde.

Lui, ravi : Chouette. Chouette. Chouette. J'aurais dû y penser. Chouette. Maintenant je le saurai. Il peut suffire d'un mot !… » (Nathalie Sarraute, *C'est beau*).

Chouette est en effet plus original que beau, joli, élégant. Plus familier aussi. Peut-on dire devant un Rembrandt ou un Michel-Ange que c'est chouette ? Difficile. Mais devant un Magritte ou un Folon, on peut. Nous avons avec la *Joconde* des rapports si anciens et si confiants qu'elle ne se formalisera pas que nous la qualifiions de femme très chouette. Avec les

Vierges à l'Enfant, non. Sauf permission d'un curé trotskiste du 93. *Chouette* n'est pas un mot de la haute couture, mais du prêt-à-porter, plus encore des fringues en solde. On ne le rencontre pas dans la philosophie, ni dans l'histoire, mais dans le roman, surtout populaire. C'est un chouette roman. Un film très chouette. J'ai fait un chouette voyage. Autrement dit, épatant, intéressant, bath.

Existe aussi le sens de sympa, chic, conciliant. Le flic a été chouette avec nous. Allez, sois chouette ! Une chouette fille est-elle belle ou sympathique ? Pourquoi pas les deux ? Chouette, alors !

Chouette est un adjectif *chouettos*.

> Épatant

Cigarette et cravate

Dans les années soixante-dix, peu nombreux étaient les hommes qui ne portaient pas de cravate sur les plateaux de télévision. Il ne m'est pas venu à l'idée de m'en libérer. D'abord, parce que je me suis toujours senti plus à l'aise avec cet accessoire de mode que le col ouvert qui, selon mes proches, ne m'allait pas bien, le tee-shirt pas davantage. Ensuite, parce qu'à l'époque la cravate faisait partie de la tenue correcte que, selon les directeurs de chaînes, les téléspectateurs étaient en droit d'exiger des présentateurs et des animateurs.

Quand on visionne les émissions d'*Ouvrez les guillemets* et des premières années d'*Apostrophes*, on remarque qu'il y a beaucoup de cravates et plus encore de cigarettes. Vingt ans après, dans les derniers *Bouillon de culture*, les cravates sont devenues rarissimes et, comme il est interdit de fumer, les cigarettes ont disparu.

J'ai refusé de céder au terrorisme de l'anticravate, qui n'était pas moins virulent que celui de la cravate. Je ne voulais pas courir le ridicule, pour « faire jeune », de me rallier à la nouvelle mode.

On pourrait faire, au moins en partie, une histoire de l'évolution de la cravate – largeurs, couleurs, motifs – durant mes vingt-huit années d'émissions en direct. J'en ai acheté beaucoup ; on m'en a offert. Pour un œil d'aujourd'hui certaines sont restées élégantes. D'autres sont ridicules. Comment ai-je pu nouer autour de mon cou un morceau de tissu aussi vulgaire ? C'était la mode, certes, mais je n'ai pas toujours su distinguer le mauvais goût du moment du bon goût intemporel.

C'est Philippe Sollers qui a fumé pour la dernière fois sur le plateau de *Bouillon de culture*. Dans la même émission, il y avait Jacqueline de Romilly. Elle était, à ma droite, très éloignée de moi, dans un clair-obscur, car ses yeux fragiles, qui ne voyaient plus guère, ne supportaient pas la pleine lumière des projecteurs. Philippe Sollers était le premier invité placé à ma gauche. La fumée de ses cigarettes ne pouvait pas atteindre ni gêner l'académicienne. Mais une caméra prenait en enfilade Philippe Sollers et Jacqueline de Romilly, en sorte que l'image, écrasant la distance, donnait l'impression aux téléspectateurs que la célèbre helléniste était enfumée, intoxiquée par la tabagie de l'auteur de *Femmes*.

Les protestations submergèrent le standard de France 2 pendant l'émission. Dès le lendemain, des lettres affluèrent qui m'accusaient de complicité de goujaterie, de muflerie et même de barbarie.

Cime

Grimper à la *cime* d'une montagne ou de quoi que ce soit est à déconseiller. Car, tout en haut de la *cime*, vous risquez de ne pas savoir comment en redescendre. Alors qu'arrivé à la *crête* ou au *faîte*, vous pouvez utiliser le deltaplane qui s'offre à vous. Beaucoup de personnes mettent, à tort, un accent circonflexe sur la *cime* parce qu'elles considèrent non sans logique que ce serait une protection ou un secours. Le syndicat des guides de haute montagne devrait intervenir auprès des ministères de l'Éducation nationale, du Tourisme, de la Santé et de la Culture pour exiger que les *cîmes* soient désormais équipées d'un accent circonflexe.

À propos…

Mon appel a été entendu au *Figaro magazine*. À preuve ce titre : « Les tableaux (de la collection Saint Laurent-Bergé), surtout ceux du XXe siècle, tutoient les cîmes » (28 février 2009).

Cinq

Étant né à cinq heures de l'après-midi du cinquième jour du cinquième mois de l'année 1935 (Taureau ascendant Balance, j'aurais dû devenir boucher), je me suis toujours polarisé sur le chiffre 5. C'est qu'il a continué de dater des jours importants de ma vie, de sorte que je suis persuadé de mourir un 5. Donc, ne pas prendre l'avion ce jour-là. Follement audacieux, je l'ai pris plusieurs fois. Il n'est pas tombé. Mais dans un mois, dans un an, dans dix ans ?

Ma crainte est probablement vaine puisque, la plupart du temps, le 5 m'a été bénéfique. Dans mes rencontres notamment. C'est mon chiffre porte-bonheur. Mais il m'a rarement fait gagner à une tombola. Jamais au loto. Il doit détester que je le sollicite, que je lui en demande un peu plus. Il veut rester imprévisible. Il se réserve la faculté de me surprendre.

Je ne pousse pas la superstition jusqu'à faire avancer ou reculer au 5, au 15 ou au 25 un événement personnel. Je laisse le sort en décider. Mais si ça coïncide avec un 5, tant mieux. Ce n'est pas moi qui ai demandé qu'*Apostrophes* et *Bouillon de culture* fussent programmés le vendredi, cinquième jour de la semaine. J'ai refusé d'aller sur la 5 de Berlusconi. Ce 5-là ne me disait rien qui vaille. J'ai été fidèle à la 2. Plus, pour *Les Dicos d'or*, des escapades sur la 3. Deux et trois font cinq. C'est France 5 qui a diffusé mon *Empreintes* le vendredi 15 octobre 2010.

Normalement *Apostrophes* aurait dû s'arrêter à la 725e. Il n'y eut que 724 émissions. Parce que Michel Drucker m'avait demandé de lui céder la soirée du dernier vendredi de juin 1990 pour une émission spéciale à l'occasion de je ne sais quel événement. Je tenais beaucoup à ce chiffre pour moi magique de 725. J'ai longtemps hésité, partagé entre le désir de faire plaisir à un confrère et ami et l'opportunité de terminer en beauté *Apostrophes* sur la 725e. Je me suis résigné au 4. Il ne m'a pas été défavorable.

À propos...

J'adore cette histoire. Un provincial prend le train pour Paris. C'est le TGV no 7055 qui part à 8 h 05. Il a la place no 5 dans le cinquième wagon. À Paris, il monte dans un taxi dont la plaque d'immatriculation se termine par un 5. Il est déposé à un hôtel, au 5 de la rue de Montyon, où lui est attribuée la chambre 505. Tous ces 5 ! Ce jour-là, la chance a un chiffre et c'est lui qu'elle a choisi pour qu'il en profite.

Il se précipite à l'hippodrome de Longchamp. Il joue cinq mille euros sur le 5 gagnant dans la cinquième course.

Le cheval est arrivé cinquième !

Écrit le 5 juillet 2010, à mon domicile,
5 *bis*, rue de M.

Coït

Ne sont-ils pas gracieux et ne nous donnent-ils pas envie de les imiter, ces deux petits points qui s'envoient en l'air ?

Conséquence (de)

Bon, on ne va pas s'attarder sur *conséquence* comme effet, contrecoup, résultat, ricochet, prolongement, etc. Beaucoup plus intéressant : *de conséquence*, locution adjectivale vieillie qui signifie important, considérable. Un homme de conséquence a du poids.

Dans sa merveilleuse chanson *Supplique pour être enterré à la plage de Sète*, Georges Brassens a eu une inspiration de génie quand il a écrit :

« Pauvres rois, pharaons ! Pauvre Napoléon !
Pauvres grands disparus gisant au Panthéon !
Pauvres cendres de conséquence !... »

Ces « cendres de conséquence » disent en trois mots, avec une cruelle ironie, ce qu'il reste du pouvoir, de la gloire, de la vanité.

Conversation

À des éditeurs italiens qui se plaignaient de n'avoir pas d'*Apostrophes* sur leurs chaînes de télévision, j'avais répondu que c'était d'autant plus incompréhensible qu'au pays de la *commedia dell'arte* on sait parler avec spontanéité et vivacité. Longtemps après, je fus invité par la Rai à regarder, plus qu'à y participer, une émission littéraire qui, m'avait-on dit, s'inspirait de la mienne. J'en sortis horrifié. Excités par un animateur tonitruant, les invités s'engueulèrent une heure durant en brandissant des livres comme des gardes rouges du président Mao. J'en conclus que les Italiens étaient trop volubiles, trop bavards, en somme trop latins, pour préférer à une empoignade tohubuesque une conversation courtoise, et de temps en temps un peu agitée.

À la même époque, on me rapportait qu'en Angleterre les « talk-shows » politiques ou littéraires étaient ennuyeux. Ils manquaient de flamme. André Maurois disait dans *Les Silences du colonel Bramble* qu'il était dans la tradition des Anglais de disqualifier leurs compatriotes si leur conversation péchait par véhémence.

Celtes gaulois, Latins tempérés, les Français seraient-ils plus doués pour le colloque que leurs voisins, trop impétueux ou trop mornes ? Serions-nous faits d'un assemblage de tchatche méditerranéenne, mais pas trop, et de retenue anglo-saxonne, mais pas toujours ? Nos conversations littéraires seraient-elles une heureuse combinaison, chez les écrivains, du roman et de la philosophie, de la passion et de la réflexion ?

Les écrivains étrangers, en particulier les Américains, repartaient étonnés d'avoir pu parler de leurs livres, que l'animateur avait lus, sans avoir été interrompus par la publicité, par un ministre, une stripteaseuse ou un champion de golf invités en même temps qu'eux. Ils découvraient le charme de la conversation littéraire ou intellectuelle à la française. Et son efficacité sur les ventes. Enfin, ils s'amusaient d'être reconnus dans les cafés, les restaurants et même dans la rue s'ils restaient à Paris les jours qui suivaient *Apostrophes*.

De même que la manière de jouer au football en France est différente de la façon dont ce sport est pratiqué en Angleterre et en Italie, de même notre art de la conversation, tel que nous l'avons hérité des salons du XVIIIe siècle, ne ressemble pas à celui exercé par les Britanniques, plus feutré, plus académique, et par les Italiens, plus sonore et illustré des gestes de Pulcinella.

Que les conversations scientifiques, intellectuelles, littéraires et mondaines, qui ont fait la réputation des salons de la marquise du Deffand, de Mlle de Lespinasse et d'autres femmes d'esprit comme Mme Geoffrin, Mme de Tencin ou Mme de Lambert, n'aient été ni enregistrées ni filmées est bien dommage. Le progrès arrive toujours trop tard. Il n'est cependant pas difficile d'imaginer l'éclat, la profondeur, la finesse, la causticité des propos échangés dans le salon ou dans la salle à manger – dîner ou souper – quand les invités s'appelaient Montesquieu, Fontenelle, Marivaux, Maupertuis, d'Alembert, Turgot, Condorcet, Diderot, etc. Plus d'autres encyclopédistes, des aristocrates éclairés, de fieffées libertines, des abbés spirituels, des poètes, des jésuites… Seigneur, quelle distribution !

Dès le lendemain, la rumeur rapportait les réflexions et les saillies des uns et des autres, parfois leurs disputes. La ville commentait. Comme étaient commentés les échanges entre écrivains réunis la veille sur le plateau d'*Apostrophes*. Ces dames du XVIIIe ne régnaient pas seulement sur les derniers salons où l'on cause, mais déjà sur les premiers plateaux où l'on débat. Nous n'avons rien inventé.

Mme du Deffand dirigeait-elle la conversation ? Quand, rarement, celle-ci languissait, se traînait, s'enlisait, s'éteignait ou se fourvoyait – tous ces verbes démontrent que la conversation est un corps bien vivant –, la soutenait-elle ? L'alimentait-elle ? La nourrissait-elle ? La réchauffait-elle ? Arrivait-il à Mlle de Lespinasse de calmer ses invités, de retirer la parole à l'un, bavard, pour la donner à un autre qu'on n'avait guère entendu ? Ont-elles l'une et l'autre créé bien avant l'heure la fonction d'animatrice de débat ?

La comparaison avec les salons télévisés d'aujourd'hui ne tient pas. Parce que tout simplement Mme du Deffand était l'égale de ses invités. On venait chez elle d'abord pour l'entendre et l'admirer. Elle était beaucoup plus que la maîtresse de maison : la reine de la conversation. Elle parlait d'égale à égal avec les plus grands esprits. Même quand elle devint aveugle, elle continua d'impressionner ses visiteurs toujours empressés de l'entendre philosopher du haut de son fauteuil avec toit en berceau qu'on appelait un « tonneau ». Elle ne recevait pas pour diriger la réunion, mais pour y briller.

Ainsi des autres femmes du XVIIIe qui tenaient salon. Même les misogynes frères Goncourt ont loué leur culture, leur intelligence, leur influence, leur talent d'expression écrite et orale. C'est grâce à elles que la conversation à la française est devenue célèbre en Europe et a été considérée comme un art. De ces dames nous ne sommes que les lointains et pâles héritiers.

À propos…

C'est probablement avec Mme de Staël, surtout dans son salon de Coppet où défilaient toutes les grandes intelligences de l'Europe, que la conversation à la française brilla de son plus vif éclat. Seuls des hommes d'une culture et d'une pensée exceptionnelles pouvaient rivaliser avec la maîtresse de maison.

Corps

La théière de Nabokov contenant du whisky est bien connue. Durant l'émission d'*Apostrophes*, en direct, il ne voulait pas donner aux Français le spectacle d'un homme qui buvait de l'alcool. « Encore un peu de thé, monsieur Nabokov ? »

Ce qui fut peu dit, c'est que, souffrant de la prostate, il avait demandé qu'un urinoir de secours fût installé derrière le décor. Il n'aurait eu que quelques mètres à faire pour pisser discrètement, tandis que la caméra serait restée sur Gilles Lapouge et moi. Nous aurions échangé quelques propos sur le maître en attendant son retour. Nous n'avions rien préparé parce que j'étais certain que la prostate de Nabokov le laisserait tranquille pendant plus d'une heure. D'ailleurs, l'émission terminée, il bavarda encore longuement avant de se rendre aux toilettes de tout le monde.

Mon optimisme se fondait sur la capacité de notre corps à relever un défi dans des circonstances exceptionnelles. La force du mental est telle que, provisoirement, pour un temps limité, il remet de l'ordre là où se sont installés des troubles organiques. François Périer m'a raconté que, plusieurs fois, il avait joué sur scène avec une grippe et une forte fièvre, celles-ci disparaissant miraculeusement au lever de rideau et reprenant possession de lui dès la fin des applaudissements.

J'ai fait la même expérience lors de mon tête-à-tête, en direct, avec Marguerite Duras. Toute la journée, fiévreux, hanté par l'un de mes deux ou trois énormes rhumes annuels, n'ayant cessé d'éternuer, de moucher, de cracher, de tousser, de pleurer, de transpirer, je craignais d'offrir un triste spectacle à ma prestigieuse invitée, que je rencontrais pour la première fois, et qui, imaginais-je, était femme à redouter la transmission des microbes.

Quelques médicaments absorbés une heure avant l'émission, et surtout ce fameux orgueil du corps qui ne veut pas lâcher son propriétaire quand se joue, en public, une partie importante, me rendirent à mon état normal dès que j'entrai dans le studio.

Pas un éternuement pendant l'émission. Pas une toux. Le nez sec, une gorge de velours. Le mouchoir inutile. Mais dès que j'eus dit : « Bonsoir à tous, à la semaine prochaine » et que le réalisateur eut lancé le générique de fin, toutes les vannes de ma pauvre tête cédèrent. Stupéfaite, Marguerite Duras me vit en un instant me transformer en déflagrations, écoulements, éructations et tentatives d'écopage. Elle me demanda ce qui m'arrivait. Je lui répondis, une main devant la bouche, les yeux humides, que, grâce à elle, je venais de passer une heure vraiment très agréable, en bonne santé, et que je l'en remerciais.

Une crise de coliques néphrétiques m'assaillit quarante-huit heures avant une émission d'*Apostrophes*. Le chirurgien me dit que, si je voulais être présent sur mon plateau le vendredi soir, il ne pourrait me retirer le fâcheux calcul que le samedi. Entre-temps, seules des injections de morphine calmeraient la douleur, qui est insupportable mais qui n'est pas permanente, disparaissant aussi mystérieusement qu'elle réapparaît avec violence. Je l'assurai que, pendant l'émission, le caillou me laisserait tranquille, ma volonté imposant à mon corps de prendre toutes les dispositions pour le bloquer dans un endroit où il se ferait oublier. Le médecin ne voulut pas courir le risque. Il installa dans l'un de mes avant-bras un cathéter par lequel, assis au premier rang du public, il m'aurait injecté discrètement, hors caméra, une dose de morphine en cas de réveil soudain de la douleur. Comme je l'avais prévu, elle ne réapparut qu'après l'émission, quand j'arrivai à l'hôpital.

Quelque part Octavio Paz dit que nos corps sont « des hiéroglyphes sensibles ».

> Chocolat

Courriériste

« Et vous faites quoi au *Figaro littéraire* ?

– Je suis courriériste », répondais-je avec fierté.

Aujourd'hui, même les journalistes ignorent l'existence de ce terme professionnel qui désigne ceux qui transmettent aux lecteurs, sous forme de billets, d'échos, de chroniques, des nouvelles relevant d'un domaine bien précis : le théâtre, la politique, les lettres, la mode, etc. Quand j'étais jeune courriériste littéraire, de mes rendez-vous chez les éditeurs, de mes déjeuners avec des attachées de presse et des écrivains, des lieux où se décernaient les prix, où se donnaient des cocktails, des conférences, je rapportais du « courrier » que je transformais ensuite en articles.

Dans la presse du XIXe siècle et du début du XXe, les courriéristes mondains et politiques étaient des journalistes d'expérience, réputés. Leurs informations déclenchaient des tempêtes et des duels. Relire Balzac. Les courriéristes du théâtre hantaient les loges et les alcôves. Les paparazzis sont leurs successeurs. À cette différence que les coulisses des stars se sont étendues à leur domicile privé, à la rue, aux aéroports, aux hôtels, aux plages du monde entier. On pourrait appeler les photographes et les reporters qui tiennent la chronique de cette traque – réunion d'un mot oublié et d'un mot à la mode – des « courriéristes people ».

Croquignolet, ette

Adjectif gentiment ironique. La personne ou la chose dont on se moque n'est pas grotesque, mais quand même un peu bouffonne. Quand Alain Robbe-Grillet travaillait au Centre d'insémination artificielle de Bois-Boudran et qu'il prélevait à heures fixes des frottis vaginaux sur des rates castrées, n'était-il pas *croquignolet*, le futur « pape du Nouveau Roman » ?

Croquignolet descend de la *croquignole*, qui est soit une petite pâtisserie qui croque sous la dent, soit une chiquenaude sur le nez. La filiation paraît plus évidente avec la chiquenaude qu'avec le biscuit, mais les lexicographes, ces gourmands, penchent pour la pâtisserie.

Cuisine-bibliothèque

Quelques livres de recettes sur une étagère de cuisine sont le gage d'une bonne maison. Surtout si, souvent consultés, leurs couvertures sont avachies, tachées de graisse, avec des signets qui dépassent des volumes.

Même succincte, une bibliothèque dans la cuisine d'un célibataire ne manque pas d'interpeller la femme qui y entre pour la première fois. « Oh ! Mais je vois que vous êtes un cordon-bleu », dit-elle, impressionnée.

S'il répond : « Non, pas du tout ! », et que ses propres talents culinaires se limitent aux surgelés Picard, elle ne pourra pas ne pas penser qu'elle a un handicap par rapport à la femme qui l'a précédée.

> Chambre-bibliothèque,
Salon-bibliothèque, W-C-bibliothèque

Cul

Mot vulgaire pour le *Petit Larousse* ; familier pour le *Petit Robert* ; très familier pour le *Grand Robert*. Existe-t-il un adjectif entre familier et vulgaire ? Populaire, peut-être. Même s'il désigne le bas de l'homme, ce n'est pas un mot bas comme le prétend le *Littré*. C'est un mot de charpente, du cadastre, du foncier. C'est un mot des architectes du corps, spécialistes des encorbellements. Ce n'est pas parce qu'on s'assied sur le cul qu'il est permis de s'asseoir sur le mot. Ce n'est pas parce que, stupéfait, l'on tombe sur le cul qu'il faut mépriser le mot. Rabelais, Montaigne et Saint-Simon lui ont donné ses lettres de noblesse. Trois seulement. Dont une inutile puisque le *l* ne se prononce pas. Délicate retenue que l'on ne retrouve pas dans les mots *culot, culotte, culbuter, acculer, enculer, reculer*, etc.

Quand *cul* se contente de désigner le fondement, le derrière, les fesses, l'arrière-train, la croupe, le croupion, la lune, etc., il échappe à l'accusation de vulgarité. D'autant qu'il nous a donné des mots bien honnêtes comme *cul-de-lampe, cul-de-sac, cul-de-poule, cul-de-jatte, cul de plomb, cul de bouteille*…, ou des expressions comme *boire cul sec*…

C'est quand il prend la place du sexe, lorsqu'il résume à lui seul la sexualité, ou qu'il est synonyme de pornographie, qu'on le taxe de vulgaire et même, dans le *Dictionnaire de l'Académie française*, de trivial. Des histoires de cul… Un film de cul… Avoir le feu au cul (l'expression signifie aussi courir très vite)... Une femme qui montre son cul (donc pas seulement ses fesses)... Le cul mène le monde...

Cette façon hypocrite qu'a le sexe de charger le cul de tous ses actes est un procédé de rhétorique : une synecdoque. *Synecdoque* n'est pas un gros mot. Cette figure de style consiste à prendre le plus pour le moins ou, dans le cas du cul qui se substitue au sexe, le moins pour le plus. Dans cette affaire, le sexe se comporte comme un faux cul.

François Villon ne savait sûrement pas qu'il employait une synecdoque sexuelle quand il écrivait, à propos d'une femme qu'il n'aimait plus : « Plus n'en ai le croupion chaud... »

À propos...

Cucu ou *cucul* : niais, cornichon, ridicule. Mieux, parce que plus imagé, plus amusant : *cucul la praline*. Ou, argotique : *cucul la praloche*. *Cucul* n'est pas réservé aux hommes. On peut dire : « Cette meuf, quelle cucul la praline ! »

Déménagement

Quitter une maison ou un appartement où l'on a été heureux, même pour prendre un logement plus spacieux et, on l'espère, plus agréable, est toujours une épreuve sentimentale. L'infidélité aux murs, l'adieu aux portes, aux fenêtres, à une certaine manière d'occuper l'espace, de s'y mouvoir, d'y dormir, de respirer un air, un confort, une esthétique, la rupture avec le temps qui se referme sur le déménagement, voilà qui serre un peu le cœur.

Mais il y a plus poignant : quand le couple se sépare et que l'un s'en va en abandonnant les lieux à l'autre. Une fois, je suis resté ; une autre fois, je suis parti.

Dans le premier cas, je n'étais pas fier. Elle masquait avec un calme orgueilleux sa douleur d'avoir choisi de s'en aller. Le déménagement était pour elle une terrible épreuve. Il l'était aussi pour moi qui en étais le responsable et qui, *acta est fabula*, assistais, apparemment impassible mais les tripes nouées, au démantèlement d'une longue intimité, à la destruction de notre cadre de vie. Je restais, mais je devrais maintenant cohabiter avec une squatteuse : la mauvaise conscience.

L'autre fois, quand c'est moi qui suis parti, j'étais seul, et, tandis que les déménageurs emportaient mes meubles et mes livres, je dialoguais avec la belle maison que nous avions bâtie ensemble et où j'avais été heureux. Il me semblait qu'elle partageait mon chagrin, qu'elle ne comprenait pas plus que moi les raisons de mon exil. De mes yeux je photographiais les murs, les escaliers, les placards, les rayonnages, la véranda, le jardin. Je chargeais ma mémoire du plus grand nombre possible d'images. Je me laissais une dernière fois envahir par le génie du lieu. Enfin, j'ai caressé le tronc de l'olivier qui lui avait été offert pour l'un de ses anniversaires, puis le chat Ulysse, et, sans me retourner, j'ai claqué la porte derrière moi.

Il y eut aussi cet appartement où, après plus de deux heures d'avion, j'ai vécu quelques week-ends enchanteurs. Je n'en étais plus l'invité quand elle le quitta pour habiter un autre pays. Sur son blog elle raconta avec des photos son attente des déménageurs au milieu des cartons. La dernière photo : le salon vide, les murs et le parquet nus. Seule présence : les branches des arbres derrière les deux fenêtres. Elle m'avait depuis longtemps passé par profits et pertes. Son appartement ne se souvenait plus de moi. Mais moi, parce que j'avais gardé dans l'œil de la patine et de la tendresse, j'étais très ému par cette escale maintenant désertée.

Désinvolte

Quand elle est laisser-aller, irresponsabilité, la désinvolture est à ranger parmi les défauts. Mais c'est une qualité lorsqu'elle se manifeste par une légèreté souriante, une façon habile d'éviter les tracas de l'existence, une liberté un peu insolente. À travers certains de leurs films, Cary Grant, George Clooney, le jeune Jean-Claude Brialy, Vittorio Gassman dans *Le Fanfaron*, de Dino Risi, représentent bien cette race d'hommes élégants, décontractés, enjôleurs, auxquels on ne tient pas rigueur de leur sens de l'esquive, de leur insouciance, de leur spirituelle irrévérence, de leur égoïsme travesti en surcroît de séduction. La désinvolture devient alors du grand art, comme chez Denis Grozdanovitch (*Petit traité de désinvolture*).

J'aurais aimé écrire un roman qui se serait intitulé *La Vie désinvolte*. C'eût été le portrait de l'homme que je ne suis pas et que j'aurais rêvé d'être. J'enviais l'un de mes camarades du lycée Ampère qui, devant les professeurs comme devant ses parents, affichait une éblouissante désinvolture. Toujours le geste, le sourire ou le mot pour donner le change et se tirer d'affaire. Décontraction et nonchalance. Humour et j'm'en-foutisme. Combien de fois lui ai-je sauvé la mise par des faux témoignages qu'il obtenait de moi parce que justement j'étais sous le charme de sa désinvolture ?

Je m'y suis essayé. Ça sonnait faux. Ma légèreté avait du mal à décoller de mon savoir-vivre. Impertinent, je savais l'être, mais sans ce naturel, cette indifférence qui ne sentent pas la préparation ou l'autosatisfaction. Comment se montrer désinvolte quand on est lesté de tant de principes ? Comment échapper avec adresse à sa tâche ou à son devoir si l'on doit ensuite le payer d'une poussée de mauvaise conscience ? J'attachais trop de prix à la responsabilité pour m'en libérer d'un sourire ou d'un bon mot. Pis : j'appelle muflerie la désinvolture avec les femmes.

On comprend pourquoi je n'ai pas écrit une seule ligne de *La Vie désinvolte*. Beau titre, quand même.

> Rock'n'roll

Dictée

Dans un mois en *r* de l'an 2011 de notre ère, un pauvre hère erre sur une aire d'autoroute. Le fond de l'air est frais. Il observe à l'orée du bois tout proche l'aire d'un oiseau de proie et surtout un hère magnifique qui a déjà un grand air et qui broute des ers.

> Orthographe

Dictionnaire

Quand je dis qu'il ne se passe pas de jour que je n'ouvre un dictionnaire, les gens ne me croient pas. J'exagérerais pour l'exemple ou par modestie. C'est pourtant vrai. Au moindre doute sur l'orthographe d'un mot, sur son usage, ses acceptions, sur ses synonymes et leurs nuances, j'ouvre le *Petit Larousse* ou le *Petit Robert*, ou le *Grand Robert*, ou le *Littré*, ou encore des dictionnaires d'étymologie, d'argot, de synonymes, de conjugaison, etc. C'est une nécessité parce que je ne sais pas tout, loin de là, je ne suis pas sûr de moi, j'oublie, je confonds… C'est un plaisir parce que j'apprends, je découvre, je me rappelle, je compare, je rectifie. Je suis un ignorant éclairé.

Le célèbre grammairien belge Maurice Grevisse à qui je demandai si la langue française le trouvait parfois hésitant, me répondit que, oui, il lui arrivait d'être embarrassé par une construction bizarre, un accord incertain, un verbe très irrégulier.

« Alors, que faites-vous ?

– Oh ! c'est simple, je consulte mon *Grevisse*… »

Pendant la guerre, l'un des rares livres que j'avais à ma disposition était un *Petit Larousse illustré* du début des années trente. J'ai appris à lire dans les livres de l'école communale de Quincié-en-Beaujolais et dans le *Petit Larousse*. J'aimais le feuilleter, fureter dedans, y faire des rallyes, passant d'un mot à un autre comme on passe d'une étape à une autre, accompagnant chaque ligne de l'index de mes petites mains.

Je notais des mots sur un carnet à deux sous, les transférant de l'officiel dictionnaire dans un petit dictionnaire à moi où ils devenaient ma propriété, mes jouets, mes amis. Étant aussi un lecteur émerveillé des *Fables* de La Fontaine – des animaux qui parlent ! ça, alors ! –, j'y prenais des mots dont la signification m'échappait, à condition cependant qu'ils fussent jolis. Je leur faisais faire un tour par le *Petit Larousse*, puis je les recueillais dans mon carnet. Je pense être proche de la vérité si j'imagine que les mots *alléché*, *proie* (*Le Corbeau et le Renard*), *Aquilon*, *Zéphir* (*Le Chêne et le Roseau*), *vermisseau* (*La Cigale et la Fourmi*), *courroux*, *glouton*, *canaille* (*Les Animaux malades de la peste*) ont eu mes faveurs.

Pour rédiger les lignes précédentes j'ai repris les *Fables* de La Fontaine qu'à l'époque je savais par cœur. Je me suis demandé quels mots le petit garçon que j'étais alors avait choisis pour les coucher dans son carnet. Soixante-cinq ans après, s'efforcer de retrouver celui que l'on était dans un exercice bien précis, essayer de ressusciter ses goûts, ses curiosités, n'est pas une tâche impossible. Il m'a semblé que, ce faisant, le petit garçon bougeait en moi. Il s'amusait de ma tentative et, à la fin, il s'étonnait que je l'eusse si bien deviné.

Dans les petites classes, je me mettais au défi d'employer dans une rédaction un mot qui m'était sympathique. Il devait parfois, le pauvre ! tomber comme un cheveu sur la soupe.

J'étais d'autant plus fier de lire le *Petit Larousse* que la plupart de mes camarades en ignoraient l'usage, n'en ayant pas d'exemplaire à leur disposition. Eux aussi avaient accès à peu de livres. À la campagne, pendant la guerre, qui en aurait acheté ? Il y avait aussi pénurie de mots écrits.

Et voilà que, curiosité ou malice du destin, je finis ma vie en écrivant un dictionnaire très personnel qui est l'arrière-

arrière-petit-cousin par alliance et par amour de celui que, enfant émerveillé, je lisais.

À propos...

Jean-Claude Lattès m'a fait découvrir à Lardiers, petit village des Alpes-de-Haute-Provence, un bistrot, La Lavande, où la rousse Manu prépare une brandade de morue et un poulet en escabèche dignes des meilleures tables provençales. Mais ce n'est pas pour ses talents culinaires que je l'ai embrassée en partant. Pour la présence, bien en vue, à la disposition des clients, des deux tomes du *Petit Robert*.

> Mots

Dimanche

Je suis né un dimanche d'élections municipales, une heure avant la fermeture du scrutin. Le médecin accoucheur disait à ma mère : « S'il veut aller voter, il faut qu'il se dépêche. » En ce temps-là, ce n'était qu'à l'apparition du bébé que son sexe était identifié. Le docteur Édouard Rochet ne pouvait pas dire à ma mère : « Si elle veut aller voter, il faut qu'elle se dépêche. » En 1935, les femmes n'avaient pas encore le droit de choisir leur député ou leur maire.

C'était un dimanche de confortable réélection d'Édouard Herriot à la mairie de Lyon. Mon grand-père maternel, Claude Dumas, était un radical, tendance laïque, cervelle de canut et beaujolais. Sa moustache frémissait de plaisir à l'éloquente parole du député-maire. Il regrettait de n'avoir pas fait carrière dans la politique. Mais son premier petit-fils allait s'y illustrer, sûr et certain, puisque le destin le faisait naître un jour d'élections.

Claude Dumas est heureusement mort avant que – foulant aux pieds son ambition – je lui donne le spectacle navrant d'un jeune homme qui se fichait de la politique et qui, par la suite, se comporta en citoyen attentif, mais sceptique et ironique.

Il faut se méfier des signes supposés prémonitoires. Non qu'il n'y en ait pas, mais ils ne sont jamais très clairs et, surtout, l'un peut en cacher un autre. C'est ce qui s'est passé ce dimanche 5 mai 1935. Jour d'élections, oui, mais aussi jour de finale de la Coupe de France de football. Au stade de Colombes, devant quarante mille spectateurs, l'Olympique de Marseille avait battu Rennes par trois buts à zéro. Je suppose que mon grand-père s'était désintéressé de l'autre événement du dimanche. Pourtant, s'il y eut influence de l'actualité sur mon arrivée sur terre, c'est de cette finale de Coupe. Car le football serait l'une des passions de ma vie, d'abord comme joueur, puis comme spectateur, et même comme commentateur.

Ce que ne pouvait pas savoir mon grand-père, c'est que les mains qui me tirèrent du ventre de ma mère appartenaient à un jeune médecin épris des batailles à onze contre onze pour la possession d'un ballon rond. Trente ans exactement après ma naissance, le docteur Édouard Rochet allait devenir le troisième président de l'Olympique lyonnais…

> Football, Jeudi

Dollar

Rien n'est moins écologique que le « billet vert ». Pour accumuler énormément de dollars ou pour en gagner un ou deux, riches et pauvres, milliardaires et déshérités, avec des responsabilités proportionnelles à leurs moyens, auront bien saccagé la planète. Le dollar est la monnaie universelle de la réplétion et de la faim, de l'opulence et de la survie. *France-Soir* publiait naguère une bande dessinée quotidienne relatant les aventures des gangsters célèbres. Titre : « Le crime ne paie pas ». Mais si, hélas ! le crime paie. Cash et le plus souvent en dollars. Les paradis fiscaux en sont bourrés.

Je ne puis pourtant pas détester le mot *dollar*. Pour une raison très personnelle, bien légère, frivole, parce qu'un billet vert, retiré de la circulation fiduciaire, a acquis dans mon portefeuille une valeur qui n'est pas prise en compte dans le cours des monnaies : la magie.

J'avais vingt ans et, à cette époque, il n'y avait rien d'étonnant à ce qu'un étudiant n'eût encore jamais vu de dollars. Au cours d'un repas dans un restaurant populaire de Richelieu-Drouot, mon ami Guy Frély, de quelques années mon aîné, qui travaillait dans un ministère, sortit de sa poche un billet d'un dollar. Je le palpai et le regardai avec curiosité. « Garde-le, me dit-il, il te portera chance. »

Vingt-cinq ans après, tassé, fripé, ce billet était toujours au fond de mon portefeuille. À chaque fois que j'en changeais, je n'oubliais pas de l'y mettre. Vint une époque où les hommes portèrent des sacs en bandoulière. J'oubliai le mien dans le métro, à la station Charles-de-Gaulle-Étoile. Dedans, entre autres objets commodes auxquels j'avais la faiblesse de tenir : clés et portefeuille. Le soir même, assez tard, une femme sonna chez moi. Passagère de la même rame de métro, elle avait trouvé mon sac et, à l'intérieur, mon adresse. Elle allait travailler un peu plus loin que l'Étoile, à Neuilly, au *New York Herald Tribune*. C'était une journaliste américaine.

Quelques années après, un samedi matin, je m'aperçus que, la veille, en sortant de la brasserie Lipp où nous allions souper après *Apostrophes*, j'avais perdu mon portefeuille. Il était probablement tombé de ma poche tandis que je montais en voiture. Le dimanche, je reçus un coup de téléphone d'une personne qui travaillait au *Point* et qui m'informa que mon portefeuille y avait été déposé par un homme bien honnête. Il l'avait trouvé après minuit dans une rue de Saint-Germain-des-Prés. Avait-il laissé son nom et son adresse ? Non, c'était un Américain qui s'en était retourné aux États-Unis le matin même.

Comment n'aurais-je pas fait un rapprochement entre mon dollar fétiche et ces deux Américains qui m'avaient rapporté ce que mon étourderie avait perdu ? Mes chances de rentrer en possession de mon portefeuille étaient minces, mais beaucoup plus nombreuses que les probabilités, infimes celles-là, qu'il fût deux fois trouvé par des Américains, à Paris, et des Américains intègres. Le hasard me parut deux fois magique.

Des années passèrent encore. Il y avait toujours, dans la poche principale de mon portefeuille, tout au fond, caché, pressé par les coupures françaises, le billet vert de mes jeunes années Richelieu-Drouot. Cette fois, je perdis mon portefeuille à la sortie d'un restaurant Courtepaille, près d'Avallon. Il n'y a pas d'Américains dans le Morvan.

> Amitié

Douane

Jeune homme, puis dans la force de l'âge, avais-je une tête de trafiquant ou de mafioso ? Je ne pouvais pas franchir une frontière sans être fouillé. Que je passe devant les douaniers en baissant les yeux ou en arborant un air serein et détaché, il y en avait toujours un qui me demandait d'ouvrir ma valise.

À Otrante, à l'arrivée du charter du Club Med où j'emmenais l'une de mes filles, je fus le seul passager, sur cent soixante à peu près, que les douaniers italiens suspectèrent. La fouille se déroula devant tout l'avion. Les gens m'ayant reconnu, car c'était du temps d'*Apostrophes*, s'amusèrent qu'un sort malicieux m'eût désigné. Ils rigolèrent franchement quand les douaniers, étonnés que leur travail remportât autant de succès, tirèrent de ma grosse valise des slips, des shorts, des maillots de bain, des chaussettes, des tee-shirts, et beaucoup de livres.

Pour une partie de pêche au Canada, via l'aéroport de New York, Pierre Perret m'avait chargé d'emporter des boîtes de foie gras fait maison. Je ne lui avais pas caché mes craintes d'être pincé à la douane américaine. On décida de tenter l'aventure. Bien entendu, il me fut demandé d'ouvrir mes bagages. Toutes les succulentes boîtes qui devaient accompagner nos casse-croûte de pêcheurs furent saisies.

La plus amusante de mes aventures douanières eut lieu quand j'étais jeune journaliste au *Figaro littéraire*. Le rédacteur en chef m'envoya à Bruxelles pour faire un reportage sur le théâtre de la Monnaie. J'y allai en voiture, faisant une halte à Leforest, petite ville du Pas-de-Calais, berceau, comme on dit, de la famille de ma femme. C'était la saison des pommes de terre, et mon beau-père, dans un acte de générosité, en récolta une trentaine de kilos qu'il mit dans un sac, le sac dans le coffre de ma Dauphine. Je me récriai contre les dangers d'affronter la douane belge avec ce chargement. Mais mes craintes lui parurent excessives et, comme je reviendrais en France par une route plus directe, je cédai et partis avec mes patates.

C'était fatal : un douanier belge me demanda d'ouvrir le coffre de ma voiture. L'énorme sac de pommes de terre le laissa stupéfait. Il appela deux ou trois de ses collègues pour partager son étonnement et participer à mon ironique interrogatoire. « Journaliste, vous faites le trafic de pommes de terre entre la France et la Belgique ?

– C'est pour votre consommation personnelle pendant votre séjour à Bruxelles ?

– Vous avez craint de manquer de pommes de terre chez nous ?

– Ignorez-vous que notre pays est un gros producteur et consommateur de frites ?

– Vous pensiez faire un cadeau au directeur du théâtre de la Monnaie ? »

Humilié, je riais jaune.

L'entrée en Belgique avec mes patates me fut donc interdite. Je voulus les abandonner entre les mains des douaniers. Puis je décidai de retourner à Leforest pour prouver, glacial, en déchargeant le sac, que, ainsi que je l'avais annoncé, ce voyage en Belgique avec des pommes de terre était idiot. Surtout quand on a une tête de suspect.

Du temps qu'il était éditeur, Jean-Claude Lattès a fait une centaine d'allers-retours entre Paris et New York. Jamais contrôlé en Amérique, il ne l'a été qu'une seule fois à Roissy-

Charles-de-Gaulle. Le douanier a découvert dans ses bagages une affiche. Jean-Claude en avait la facture. On lui a fait payer une taxe de 20 % sur le prix. J'avais acheté cette affiche à New York et je lui avais demandé de me la rapporter.

Double je

« Double je » parce que ces écrivains, ces chanteurs, ces musiciens, ces architectes, ces scientifiques, etc., étaient nés dans une langue et une culture étrangères et qu'ils avaient opté pour la langue et la culture françaises. Le plus souvent, ils avaient fui une dictature, fasciste ou communiste. Mais ce fut aussi, parfois, pour l'amour d'une femme ou d'un homme qui vivait en France.

Quand, en juin 2001, j'ai arrêté *Bouillon de culture*, Michèle Cotta, directrice générale de France 2, m'a dit que ce serait bien, et pour les téléspectateurs et pour moi, de prolonger ma présence à l'antenne sous la forme d'une émission mensuelle. Une sorte de décélération avant la sortie finale du plongeur. J'eus aussitôt l'idée de *Double je* – même si je mis toutes les vacances avant de trouver le titre – parce que j'avais été impressionné dans les *Bouillon de culture* enregistrés à l'étranger par tous ces Chiliens, ces Israéliens et Palestiniens, ces Tchèques, ces Espagnols, ces Australiens, ces Maliens, ces Géorgiens, etc., qui parlaient notre langue avec compétence et amour. Certains avaient émigré chez nous, nous apportant leurs talents. Pourquoi ? Comment ? Il n'y avait pas deux aventures semblables. Qu'ils nous les racontent ! Qu'ils nous expliquent s'il avait été difficile de passer de leur pays au nôtre, de leur langue à la nôtre, d'un je à un autre je. Donner la parole à tous ces magnifiques rastaquouères culturels, qu'ils soient établis en France depuis longtemps ou qu'ils y soient récemment arrivés. Ou bien aller à l'étranger pour rencontrer ces femmes et ces hommes francophones et francophiles.

Pendant quatre ans, j'ai interviewé cent cinquante-deux « double je » issus de quarante-trois pays. L'émission avait de très nombreux abonnés parce qu'on y faisait connaissance avec des personnages aussi étonnants qu'admirables. Ainsi, le Malien Cheick Modibo Diarra, passé par l'université française avant de devenir un scientifique de haut vol à la Nasa ; l'historien américain du pain français Steven L. Kaplan ; Brian Molko, le chanteur anglais du groupe Placebo ; la présidente de la République de Lettonie, Vaira Vike-Freiberga ; Andrzej Seweryn, Polonais devenu sociétaire de la Comédie-Française ; Zhu Xiao Mei, victime et actrice de la Révolution culturelle chinoise, qui ne renoua qu'en France avec le piano dont elle est une virtuose.

Double je était une émission produite et diffusée par France 2 et TV5 Monde. La dernière, florilège des trente-sept émissions précédentes, commentée par Erik Orsenna, fut diffusée sur France 2 le 6 janvier 2006. Mais elle ne passa jamais sur TV5 Monde ! Jean-Jacques Aillagon, devenu entre-temps le président de la chaîne francophone internationale, avait nommé à la direction des programmes un jeune imbécile qui jugeait que la culture n'intéressait pas le public de la chaîne. Il refusa donc de la diffuser. Avec la bénédiction de son patron qui, lorsqu'il avait été ministre de la Culture, sermonnait les directeurs des chaînes publiques parce qu'ils n'accordaient pas une place assez généreuse aux émissions culturelles sur leurs antennes…

Cette histoire confirme mon soupçon que les personnes les plus intelligentes, les plus cultivées, à de certains moments, et peut-être pour des raisons qu'il faut chercher dans leur vie privée (je suis gentil, j'avance une explication honorable), égarent leur bon sens et deviennent très sottes.

Eau

Prenez trois voyelles, d'abord le *e*, puis le *a*, enfin le *u*, vous les liez dans cet ordre, et vous obtenez à l'oreille une quatrième voyelle : le *o*. Magique ! Peut-être pas pour les étrangers qui apprennent le français et pour qui la prononciation de *eau* ne coule pas de source. Mais ils sont ensuite rassurés par notre logique lorsqu'ils constatent que le ruisseau, le chéneau, le caniveau, le seau, le bateau, le radeau, le maquereau, le carpeau, le château (d'eau) sont en conformité avec l'écriture de leur liquide existentiel.

Jusqu'au jour où ils s'aperçoivent, sans que ce soit la faute à Rousseau, que lavabo, cargo, canot, aviso, lamparo, Calypso ne bénéficient pas de l'eau courante.

En concluent-ils que le français va à vau-l'eau ?

Écrivain (1)

On ne le devient pas, on naît écrivain. L'encre précède l'existence. Le Mac précède les nouveaux Balzac. On ne sait pas pourquoi des hommes et des femmes attrapent des gènes bizarres qui se sont fait la tête de Proust, de Camus ou de Duras. Un soir, vers l'âge de huit ou dix ans, ils annoncent à table : « Je serai écrivain. » Une voix, jadis, leur répondait :

« Mange ta soupe au lieu de dire des bêtises ! » De nos jours : « Bois ton Coca au lieu de raconter des conneries ! » Nés Verso ascendant Pléiade, comment ne croiraient-ils pas à leur destin littéraire ?

Cependant, certains ne naissent pas écrivains. Ils le deviennent. Pour passer à la télé, pour décrocher le Goncourt et le respect de leurs fournisseurs, pour entrer dans le *Who's Who* ou à l'Académie française. Pour séduire une femme inaccessible ou un homme distrait. Ces écrivains-là ne sont pas les meilleurs. Car l'ambition des vrais est simplement de s'épater eux-mêmes en traçant chaque jour un mot juste.

Les écrivains ont tous eu une enfance extraordinaire (> Jeunesse). Si elle a été banale, un peu de style la rendra prodigieuse. Le style ajoute du pathétique, des moustaches, de l'exotisme, des bonheurs-du-jour, de la métaphysique, des micocouliers ou des trains fantômes.

Les écrivains se drapent dans leur style. Ou le tendent comme un passeport. Ils espèrent voyager avec le plus longtemps possible, jusque dans ce pays improbable, à la démographie maigre et toujours fluctuante, où l'on mange bio et biblio : la postérité.

Les mots sont à tout le monde, mais ils appartiennent un peu plus aux écrivains. Ils les chopent quand ils passent devant, au-dessus ou derrière eux. Puis ils les rangent dans des ordinateurs ou directement sur des feuilles blanches, suivant un ordre mystérieux, parfois complexe, qui relève de la syntaxe, de la grammaire, de la météorologie, du moral des ménages, du confort du siège et de la chance.

Avec les mots les écrivains font des métaphores, des antonomases, des chiasmes, des euphémismes, des hypallages, des zeugmas et bien d'autres choses étranges qui échappent au vulgum pecus comme lui échappent les points d'une tapisserie. Il n'est pas de métier qui n'ait son vocabulaire technique. Comment les écrivains n'auraient-ils pas le leur, d'un genre particulier puisqu'ils emploient des mots pour désigner d'autres mots qu'ils emmanchent et goupillent suivant leur fantaisie ?

Les écrivains restent toute leur vie de grands enfants qui se disputent les meilleurs oxymores et les plus subtiles synecdoques.

À propos…

Tout compte fait, les écrivains les plus romanesques sont ceux qui ont un peu écrit, rien publié, et qui néanmoins tiennent pour certain d'appartenir à la confrérie. Quelques pages l'attestent, en effet. On peut les lire sur leur blog. Ou chez eux, si l'on est intime. Le talent est manifeste. Il y a quelque chose. Mais la suite ? Il n'y a pas de suite. Ils n'y arrivent pas. Enfin, pour le moment, parce qu'ils sont bien décidés, étant des écrivains et même de grands écrivains, à coucher sur le papier ce qui est encore retenu quelque part. Il ne s'agit pas d'apporter des preuves. Ni de justifier de soi-disant prétentions. Puisqu'ils sont des écrivains ! Il faut simplement attendre le moment où ça viendra. Forcément.

Écrivain (2)

Pendant vingt-huit ans un écrivain a été pour moi une femme ou un homme dont j'avais lu le dernier livre et que j'avais invité pour que nous bavardions de son contenu et de sa forme. Très chic : je ne recevais que le vendredi soir, uniquement sur rendez-vous. Celui-ci jamais sollicité par le patient, mais décidé par moi, médecin, psychologue, cardiologue, acupuncteur, sexologue, accoucheur, surtout pas anesthésiste. L'originalité de mes consultations, c'était que je ne délivrais des ordonnances qu'aux téléspectateurs.

C'était de la médecine de groupe. Quatre ou cinq écrivains ensemble. Qui avaient lu les livres des autres, et qui savaient ce qui avait récemment agité leur esprit et sur quels mots – maux parfois – ils avaient penché leur corps.

Avant chaque émission je prévenais que, lorsqu'elle serait terminée, le temps passant toujours trop vite, chacun se sentirait frustré. On ne dit jamais tout ce que l'on avait prévu et envie de dire. On aurait aimé aborder tel sujet qui n'a pas été évoqué. On a le sentiment de n'avoir pas bien répondu à une question ou à une interpellation. L'esprit d'escalier commence son irrésistible ascension. Combien de nuits blanches ou grises ai-je passées à cause de ce maudit esprit d'escalier ? Car le plus frustré de tous, c'était moi, qui n'avais pas su relancer celui-ci, enchaîner avec celui-là, réussir une digression, interrompre un bavard, clarifier une déclaration obscure, etc. J'étais à la fois mon malade et mon médecin. Je donnais rendez-vous aux deux, le vendredi suivant, même lieu, même heure. Pour une nouvelle séance de frustration collective dont, à la vérité, je retirais le plus souvent, ne soyons pas faux cul, plaisir et fierté.

J'aurai tenu un cabinet littéraire ou un salon littéraire pendant près de trois décennies. Des centaines et des centaines d'écrivains y sont passés au moins une fois. Je ne suis devenu l'ami d'aucun. Robert Sabatier, Gilles Lapouge, Jean Chalon et Geneviève Dormann étaient des camarades du *Figaro littéraire*. Jorge Semprun est un ami intime mais ce n'est pas par le circuit médiatique que je suis arrivé jusqu'à lui. C'est surtout au cours d'un voyage littéraire que j'ai découvert mes affinités avec Christine de Rivoyre. Jérôme Garcin est un confrère pour lequel j'éprouve beaucoup d'admiration et d'affection. Pierre Boncenne a été mon talentueux collaborateur et conseiller pendant vingt-cinq ans. (Mon assistante depuis quarante ans, Anne-Marie Bourgnon, est une amie très précieuse.) Philippe Meyer a fait irruption à moto et en chansons.

Il en est d'autres que j'estime et que je rencontre de temps en temps, comme Pierre Nora sans lequel *Le Métier de lire* n'existerait pas, ou Pierre Assouline avec qui j'ai travaillé à *Lire*. Les académiciens Goncourt sont récemment entrés dans mon deuxième cercle. Mais je n'ai pas noué avec mes invités d'*Ouvrez les guillemets*, d'*Apostrophes* et de *Bouillon de culture* des liens que, après les émissions, des visites ou une correspondance auraient prolongés, affermis durablement.

Je n'ai pas su. Je n'ai pas pu. Ou plutôt je n'ai pas voulu. Pourtant des écrivains aussi considérables que Marguerite

Duras et Marcel Jouhandeau ont cherché après des tête-à-tête réussis à m'intégrer à leur entourage. Je me suis défilé. Il est vrai qu'être réveillé à deux heures du matin par Marguerite Duras, qui avait éprouvé l'amical besoin de me lire au téléphone le texte qu'elle venait de terminer, ne m'a pas paru être une initiative à encourager. Je voulais garder mes distances. Ils étaient des écrivains, je n'étais qu'un journaliste. Que pourrais-je leur apporter ? Des questions, encore des questions, toujours des questions ? Il nous casse les pieds, à la fin, celui-là, avec ses questions. *Apostrophes*, c'est bien, mais il faut lui dire que ça ne peut pas durer tout le temps ! Des éloges, de la considération, de la révérence ? C'est un emploi de cour, incompatible avec la possession d'une carte de presse. Les écrivains auraient perdu leur temps avec moi, et moi le mien avec eux. On n'a jamais inventé meilleur moyen de fréquenter les écrivains que de les lire.

Patrick Modiano : « Plutôt que de rencontrer des écrivains, je préférais les lire et les relire. C'est ainsi que Julien Gracq m'a accompagné depuis plus de trente ans, sans que je le rencontre jamais » (*La Nouvelle Revue française*).

À propos...

Simon Leys est l'écrivain vivant que j'admire le plus au monde. Son érudition, sa lucidité (premier intellectuel à dénoncer les crimes de la Révolution culturelle), son courage (injurié, diffamé par les nombreux et influents admirateurs français de

Mao), ses talents de sinologue, de conteur, d'historien, de critique, de traducteur, d'écrivain tout simplement, sa pratique d'une langue élégante, précise, efficace, sa modestie, sa gentillesse, sa générosité... À l'idée de lui écrire et de lui envoyer en Australie où il réside une lettre horriblement banale, d'une flagrante inutilité, je suis paralysé... Et, la recevrait-il, qu'il se sentît obligé d'y répondre me culpabilise encore plus. Mon silence est la forme la plus respectueuse de mon admiration.

Écrivains fâchés

Je m'étonnais de trouver par terre, surtout le matin, tombés de la bibliothèque, des livres de Marguerite Duras et de Jean Dutourd. De ses pattes le chat les tirait-il de leur rayonnage ? Mais pourquoi toujours ceux-là ? Pourquoi aurait-il manifesté de l'hostilité à Duras et Dutourd, et à ces deux écrivains seulement, parmi plusieurs centaines d'autres ?

Le chat n'y était pour rien. Le classement par ordre alphabétique avait placé côte à côte les livres de Duras (Marguerite) et de Dutourd (Jean), deux écrivains littérairement et politiquement aux antipodes l'un de l'autre. Ils se détestaient. Leur voisinage leur était insupportable. Alors, la nuit, leurs livres se battaient. C'est pourquoi je ramassais sur le parquet, le matin, un *Au bon beurre*, un *Barrage contre le Pacifique*, une *École des jocrisses*, un *Détruire, dit-elle*, etc.

J'ai affronté les mêmes problèmes de contiguïté alphabétique avec Aragon Louis et Aron Raymond. Leurs livres parvenaient – je ne sais comment en si peu d'espace – à se tourner le dos. J'ai eu la sage précaution de placer entre Houellebecq (Michel) et Jelloun (Tahar Ben) les œuvres complètes de Victor Hugo. Mais qui mettre entre Besson (Patrick) et Besson (Philippe) ?

Dans *La Maison en papier*, l'écrivain et critique littéraire argentin Carlos María Domínguez évoque un bibliothécaire qui éprouve lui aussi bien des difficultés à faire cohabiter sur le même rayon des auteurs fâchés, même posthumement. Ainsi éloigne-t-il García Lorca de Borges qui l'avait traité d'« Andalou professionnel ». Il écarte Shakespeare de Marlowe, tous deux s'étant mutuellement accusés de plagiat. De même Martin Amis et Julian Barnes, deux amis brouillés.

Le classement des écrivains étrangers suivant leur langue peut aussi se révéler périlleux. Ainsi, comment ne pas risquer une conflagration latino-américaine en rangeant sur le même rayon Gabriel García Márquez et Mario Vargas Llosa ?

Par chance, le classement alphabétique révèle aussi d'heureuses mitoyennetés. Un exemple très très chaud : Miller (Henry) et Millet (Catherine). Qu'à côté de *La Vie sexuelle de Catherine M.* je mette *Tropique du Cancer*, *Sexus* ou *Jours tranquilles à Clichy*, je retrouve, jour et nuit, leurs livres collés l'un à l'autre dans un orgasme sans fin.

Ego

Nom masculin. Invariable, forcément. Un ego ne varie pas, ne transige pas, ne s'abaisse pas, reste toujours au sommet de sa considération.

L'*ego* ne peut pas prendre la marque du pluriel. Un authentique et puissant ego refuse d'être mêlé à des moi moi moi subalternes ou d'imposteurs.

Un ego n'a pas d'accent sur le *e*. Ce serait un pléonasme. Car il est dans la nature même de l'ego de mettre constamment l'accent sur lui.

Entresol

L'entresol est un demi ou un faux étage situé entre le rez-de-chaussée et le premier étage. À Lyon, on appelle souvent entresol le premier, qui est un vrai étage, de sorte que le premier est le deuxième, le deuxième le troisième, le troisième le quatrième, etc. Ces subtilités arithmétiques déroutent et agacent les Parisiens en visite dans la capitale des Gaules.

Quand il se présente comme un étage bâtard, l'entresol paraît bizarre, louche. Il est bas de plafond et sombre. Ce n'est parfois qu'une soupente, un appartement de secours, une garçonnière, un bureau discret, le grenier du rez-de-chaussée. On n'y respire pas l'honnêteté. Ça sent le complot, le trafic ou la copulation tarifée.

> « *T'es comme une vieille putain*
> *Qui monte qu'à l'entresol.* »
> Léo Ferré, *Beau saxo*

J'aime bien les personnes qui vivent ou travaillent à l'entresol parce que ce sont les plus romanesques de l'immeuble.

À propos…

Colette a vécu pendant quatre ans dans un entresol de la rue de Beaujolais avant de pouvoir occuper dans la même maison un appartement situé plus haut. La lumière parcimonieuse que recueillaient ses « quinze mètres d'entresol » l'empêchait d'apprécier pleinement son « sombre et charmant logis en corridor », même si elle avait le privilège d'habiter « sur » le Palais-Royal.

Épatant, ante

Ce sont deux académiciens, Jean Dutourd et Jean d'Ormesson, qui ont remis à la mode l'adjectif *épatant*, tombé en somnolence au milieu du XXe siècle. Ils l'ont beaucoup employé dans leurs nombreuses interventions à la radio et à la télévision. Ce n'est pas pour autant que le mot s'est réinstallé dans le langage des jeunes, mais il a fleuri de nouveau à la bouche d'un certain parisianisme, puis dans des milieux attentifs à l'originalité. Des vacances épatantes, un film épatant, une idée épatante, un mot épatant… C'est-à-dire admirable, formidable, excellent, chouette, super. Si l'on veut marquer encore plus son plaisir ou son admiration, il faut prononcer *épatant* en appuyant fortement sur le *pa* : é-pâ-tant.

Quand Meursault dit de Marie, dans *L'Étranger* : « Elle est épatante, et, je dirai plus, charmante », Camus commet une petite erreur dans la progression : elle est charmante, et, je dirai plus, épatante…

À propos…

Épater la galerie, en mettre plein la vue, est une expression qui vient d'abord de la galerie du jeu de paume, puis de la galerie des théâtres.

> Chouette

Étymologie

Du latin *etymologia*, du grec *etamos*, vrai, et *logos*, science, étude : étude de l'origine, de la filiation des mots.

Bernard Frank a comparé l'étymologie à « une bonne fille qui remonte toujours ses jupes ». Pas bégueule, en effet, elle se déboutonne, elle se déshabille, elle dévoile, elle donne à voir ce qui était caché.

L'étymologiste demande aux mots leurs papiers. Il n'y a pas de sans-papiers chez les mots. Rien de plus facile que de leur en donner : il suffit d'écrire le mot sur un papier. Reste à savoir d'où il vient : du latin ? du grec ? de l'arabe ? de l'anglais ? de l'occitan ? du gaulois ? du wallon ? du hottentot ? du bas normand ? C'est rare, mais il peut arriver que les Maigret de l'étymologie calent. Ils ignorent de quel pays ou de quelle province ont débarqué certains mots, comme *bobèche*, *frusquin* ou *moutard*. Ils ont beau les cuisiner, les menacer, les cajoler, les secouer : ils ne disent rien. Alors ils écrivent sur leur fiche d'identité « origine inconnue » ou, si l'enquête avance mais patauge, « origine douteuse » ou « obscure ». Mais ces mots apatrides naturalisés français ont les mêmes droits et les mêmes devoirs que les autres mots du dictionnaire. D'ailleurs ils bénéficient eux aussi du classement par ordre alphabétique. Pas de discrimination (du latin *discriminatio*).

Il en est de l'étymologie comme de la généalogie : le jeu est de remonter le plus haut possible. De dater et d'attester.

Lascar, 1553 ; *olibrius*, 1537 ; *fisc*, 1278 ; *saucisse*, 1268 ; *satrape*, 1265 ; *épître*, 1190 ; *compère*, 1175 ; *couard*, 1080 ; *école*, 1050 ; *mot*, 980, qui dit mieux ? La plupart des mots sont increvables. Plus ils sont actifs, mieux ils se portent. Ils tirent de leur étymologie bien davantage que du sens et de l'utilité : santé, force, vigueur génétique, énorme espérance de vie. De nombreuses fois centenaires, tous ces mots circulent allégrement, sans carte senior. Ils nous enterreront tous.

L'un des regrets de ma vie est de n'avoir pas fait de latin ni de grec. Mes parents m'avaient collé pensionnaire dans un lycée moderne qui, avec une pédagogie moderne, préparait au baccalauréat dit moderne. Les chiffres étaient modernes, les lettres ne l'étaient pas. Après la guerre, il apparaissait que l'avenir serait plus l'affaire des matheux que des littéraires. C'était pertinemment vu. Mais le mot *avenir* peut bien nous la jouer libre, jeune, nouveau, mode, révolutionnaire, brillant, il ne nous fera pas oublier que lui aussi descend modestement du latin.

Extra

Quand j'entends les marchands de fruits et légumes du marché de la rue Poncelet vanter leurs « cerises extra » ou des « ananas de la Martinique extra », je pense aussitôt à mon père qui employait le même adjectif pour recommander les produits de son étalage : « Goûtez-moi ça, madame, c'est extra ! » Autrement dit, il n'y a pas mieux, c'est le summum de la qualité. Il écrivait aussi le mot suivi d'un point d'exclamation (« Extra ! ») sur une petite ardoise réservée le plus souvent aux fruits, en particulier les melons. Quant aux légumes, seuls les petites pommes de terre nouvelles et les petits pois avaient droit à la mention. (« Extra-fins » appliqué aux haricots signifie qu'ils sont très très fins.)

Quand extra qualifie des œuvres de l'esprit, j'aime moins. Un livre extra, un film extra… Il faut garder l'adjectif pour ce qui craque sous la dent, pour ce qui remplit la bouche de jus et de suc, pour ce que la nature nous offre de plus *lichoux* (friand, gourmand, dans le vocabulaire breton et normand). Je ferai cependant une exception pour une chanson extra. Léo Ferré s'est emparé de l'adjectif et, le sortant de l'épicerie, l'a hissé dans la poésie. Quand il chantait *C'est extra*, son visage pénombreux rayonnait de plaisir.

« Une robe de cuir comme un fuseau
Qu'aurait du chien sans l'faire exprès
Et dedans comme un matelot
Une fille qui tangue un air anglais
C'est extra
Un Moody Blues qui chante la nuit
Comme un satin de blanc marié
Et dans le port de cette nuit
Une fille qui tangue et vient mouiller
C'est extra, c'est extra… »

Famille

À Monique, Agnès et Cécile

Comme lorsqu'elles étaient bébés, mes deux filles – l'une étant plus proche de la cinquantaine que de la quarantaine – continuent de m'appeler papa. Cela paraît insolite quand mes petits-enfants m'appellent par mon prénom. On ne voit pas pour quelle raison ce terme affectueux, primaire, de *papa* – *maman*, mot composé de deux syllabes différentes, est un peu plus compliqué – serait abandonné en cours de route. Il continue de marquer au fil des années et de prolonger jusqu'à la mort du père la tendresse sonore de ses enfants, et, dans le même temps, de pérenniser son amour de naissance pour les deux jolies personnes que leur mère lui a données.

Papa ne présente qu'une seule difficulté : le mot ne se prête pas à une élégante signature quand l'auteur dédicace ses livres à ses filles.

Elles n'ont pas eu la chance d'accoster dans une famille, juive ou slave, par exemple, où les démonstrations d'adulation rythment les journées. Baisers, lèchements, caresses, câlineries, mamours, tu m'aimes ? je t'aime… Auraient-elles apprécié une telle profusion de gestes et de mots ? Peut-être pas, mais il est possible qu'elles n'auraient pas détesté recevoir un peu plus de marques d'affection. Nous appartenions à cette génération de parents qui adoraient leurs enfants tout en leur distribuant modérément les signes basiques de leur amour, pour l'essentiel des baisers. Nous formions une famille qui ne s'épanchait pas beaucoup. Et moins encore la famille dont j'étais l'aîné. Il me semble que mes filles et les pères de leurs enfants ont établi avec eux, à travers gestes et paroles, des relations amoureuses équilibrées, ni distantes ni étouffantes.

Si je compare le père que j'ai été avec les pères des générations suivantes, en particulier ceux qui sont entrés dans ma famille, je me sens un peu honteux. Il ne me serait pas venu à l'idée de torcher mes filles, de les laver, de les habiller, de les nourrir, de les bercer. Les promener, oui, et encore, pas longtemps. Il me semblait que la paternité m'obligeait surtout à gagner le plus d'argent possible – leur mère et moi, issus de familles modestes, étions des journalistes débutants –, à faire des piges rémunératrices. Ça m'arrangeait bien de penser que j'étais plus utile à ma famille dans la culture que dans la puériculture.

Le plus souvent, ce n'est que lorsque les enfants ont quitté le domicile familial que les papas se demandent s'ils ont été de bons pères. Ma réponse a tout d'abord été : correct, pas trop mal. Puis, à l'aune des papas d'aujourd'hui : velléitaire, inconstant, insuffisant, pouvait mieux faire. Bien sûr, leur mère et moi leur avons assuré l'essentiel : une existence confortable dans un grand appartement et dans une agréable maison de campagne. Quelques beaux voyages. Le nécessaire et le superflu. Une éducation à la fois rigoureuse et libérale. Un encouragement constant à s'instruire, à se cultiver, à aimer la vie.

Mais si j'entre dans le détail, je vois bien que je n'ai pas été assez disponible. Jamais le temps. La presse écrite et la radio d'abord, puis la presse écrite et la télévision. Des journées et des soirées, même le week-end, pendant lesquelles il y avait peu de place pour des sorties, des jeux, des films, des expositions, des conversations impromptues, des heures que l'on a plaisir à perdre ensemble. Lire, lire, toujours lire. Je dois bien l'avouer : j'ai rarement choisi de leur lire ou de leur commenter un livre avant qu'elles ne s'endorment, plutôt que de lire pour l'insatiable téléspectateur du vendredi soir, avant que lui aussi n'aille se coucher.

Si, parfois, une virée aux puces le dimanche matin, une visite au marché aux timbres, un accompagnement dans une salle de sport. Mais ils étaient si rares, ces accrocs à mon agenda de forçat de la lecture, que j'éprouve quelques scrupules à les mentionner. Je n'ai pas assez consacré de temps à écouter mes filles, à leur parler, à les faire rire, à leur donner des conseils, à chahuter avec elles, à jouer avec elles, à leur raconter des histoires, à leur donner des explications, à les prendre par la main.

À la longue, en additionnant, cela en fait, des heures et des jours et des semaines que le père a préféré consacrer à son travail plutôt qu'à ses filles…

Putains de livres !

Idem pour la vie conjugale. La lecture isole, sépare. Le lecteur fuit, il est toujours ailleurs. Les griots maliens, protecteurs de la famille, n'ont pas tort de détester les écrivains et les lecteurs parce qu'ils constituent un danger pour la cohésion du foyer. Elle et moi partagions la passion du football qui nous emmenait ensemble au Parc des Princes et, surtout, au stade Geoffroy-Guichard, à Saint-Étienne. Nous avons l'un et l'autre écrit un livre sur les Verts. Elle aussi se retirait, le soir, pour corriger des textes de journalistes, pour écrire et pour traduire. Nous alternions dans un bonheur tranquille solitudes et vie commune. Mais mes « absences » étaient beaucoup plus fréquentes et plus longues que les siennes. Elle acceptait sans se plaindre l'existence trop souvent recluse – sauf pendant les vacances où nous recevions beaucoup d'amis – que mes lectures sans fin lui imposaient. Son équilibre fortifiait le mien. Son énergie alimentait la mienne. Son humour s'accordait au mien, ma sensibilité à la sienne. Grâce à elle, parfaite maîtresse de maison, excellente cuisinière, je n'avais pas à me soucier de l'intendance. Je pouvais consacrer tout mon temps à l'ouverture des paquets de livres, à leur classement et à leur lecture. Je l'appelais après chaque émission pour recueillir « à chaud » son jugement de téléspectatrice. Plus d'une fois j'ai été dérouté. Le lendemain, samedi, nous avions assez de temps pour confronter nos impressions. Parfois, les filles s'en mêlaient. Tous les quatre nous dînions ensemble chaque soir, sauf le vendredi.

De nombreuses années se sont succédé, et je suis devenu peu à peu un lecteur plus pressé qu'un mari empressé.

Salauds de livres !

> Allemand

Farceur

Gombrowicz et Beduino attendaient l'autobus de la ligne 28, à Buenos Aires, quand l'écrivain proposa à son ami d'« en mettre plein la vue » aux passagers en jouant, lui, Gombrowicz, au chef d'orchestre et Beduino au musicien.

À voix haute, celui-ci interpella donc le maître installé quelques places plus loin.

« – Si j'étais vous, je ferais renforcer les contrebasses, et prenez garde aussi au *fugato*, maître...

Les gens tendent l'oreille. Moi, je dis :

– Hm, hm...

Lui :

– Et aux cuivres, dans ce passage de *fa* en *ré*... Quand a lieu votre concert ? Moi, je joue le quatorze... À propos, quand allez-vous me montrer cette lettre de Toscanini ?

Moi (très haut) :

– Vous m'étonnez, jeune homme... Je ne connais pas Toscanini, je ne suis pas chef d'orchestre et je ne comprends vraiment pas pourquoi vous tenez à poser devant les gens en jouant au musicien. Fi donc, à quoi rime de se parer des plumes d'autrui ? C'est très vilain !

Tous les regards, sévères, convergent vers Beduino qui, rouge comme un coq, me jette un coup d'œil assassin » (Witold Gombrowicz, *Journal*, t. II, 1959-1969).

J'adore cette farce de Gombrowicz parce qu'elle est astucieuse, ni méchante ni vulgaire. Il me semble que nos contemporains ne pensent plus guère à faire des farces à leurs amis ou ennemis. Règne l'esprit de sérieux. Il est vrai que le monde est rempli de farceurs patentés qui racontent n'importe quoi. Par comparaison, nos tours et facéties paraissent assez mièvres. C'est toute l'année que le bon peuple est prié de croire à d'énormes blagues du 1er avril, de sorte que ce jour-là il ne sait plus distinguer les vraies des fausses.

Les magasins de farces et attrapes ont fermé. L'usage du verre baveur, du coussin pétomane, du cigare explosif, de la bague-jet d'eau, du sucre-araignée, etc. s'est perdu. L'extinction du service militaire a entraîné la quasi-disparition du lit à bascule et du lit en portefeuille. Qui songerait aujourd'hui à écrire et publier une *Encyclopédie des farces, attrapes et mystifications* (1964) ? J'en fus un très modeste collaborateur, sous la direction de François Caradec, président général de l'AFEEFA (Association Française pour l'Étude et l'Expérimentation des Farces et Attrapes) et de Noël Arnaud, chancelier de l'IFFA (Institut Français des Farces et Attrapes). Ces associations de farceurs joyeux et érudits ont depuis longtemps mis la clé, qui fondait dans la main, sous la porte, sans serrure.

La télévision ne diffuse plus d'émissions mystificatrices comme *La Caméra cachée* et *Surprise sur prise*. Des personnalités étaient les acteurs et les victimes de supercheries parfois spectaculaires, souvent très amusantes. Ainsi, pour *La Caméra cachée*, au temps d'*Apostrophes*, me suis-je fait vendeur dans une librairie de la rue Marbeuf, à Paris. J'étais le seul employé à avoir revêtu une blouse grise. Des clients qui m'avaient reconnu ne s'étonnaient pas de me voir occuper cet emploi. Après tout, comme à la télévision, je vendais des livres. Les plus nombreux étaient cependant ceux qui marquaient de la surprise, voire de la stupéfaction. Avec naturel, sur le ton de la confidence, je leur expliquais que, la télévision payant chichement ses collaborateurs, surtout ceux qui travaillaient dans des émissions culturelles, j'utilisais mes compétences dans le commerce de détail pour arrondir mes fins de mois. Certains y ont cru. La réaction la plus étonnante a été celle d'une libraire, venue saluer notre hôte, et qui, m'apercevant, lui a dit : « Tu as engagé Pivot ? C'est une idée géniale ! Pourquoi, moi, je n'y ai pas pensé ? »

Un jour, peu avant le festival de Cannes, je fus invité au Goethe Institut pour voir en avant-première un film allemand qui allait, disait la rumeur, faire sensation. La plupart des critiques de cinéma étaient présents, ainsi que Marie-Claude Arbaudie, ma collaboratrice à *Bouillon de culture* pour le cinéma, et Cécile, ma seconde fille, journaliste à *Studio magazine*. Elles m'avaient réservé une place entre elles au premier rang. Le directeur du Goethe Institut nous présenta le réalisateur, tout juste débarqué d'un avion qui l'avait ramené de Los Angeles, et la projection commença.

Curieusement, on n'éteignit pas les lumières et l'écran, révolutionnaire, était composé de quatre petits écrans. Quant au film, il me plongea tout de suite dans la perplexité. On y voyait la même image – une jambe et un pied qui empêchaient une porte de se fermer – pendant une demi-douzaine de minutes. Puis ce fut un homme qui restait assis sur la cuvette d'un W-C et qui n'en bougeait pas. « Qu'est-ce que c'est, cette connerie ? » dis-je un peu fort. « Chut ! » soufflèrent mes confrères qui, derrière moi, l'air grave, convaincu, prenaient des notes.

Je pensai au film d'Andy Warhol, *Sleep*, qui montrait pendant huit heures un homme dormant dans son lit. Mais c'était Andy Warhol, alors que ce cinéaste allemand, inconnu, fatigué par son voyage, somnolait sur une chaise dans un coin de la salle. D'autres plans fixes se succédant toutes les trois ou quatre minutes, sans aucun rapport entre eux, je balançais entre l'exaspération et l'hilarité. Mais Marie-Claude et Cécile, très sérieuses, ne partageaient pas mes réactions et, autour de moi, mes confrères continuaient, passionnés, appliqués, de regarder et de noircir du papier.

C'était à devenir fou, quand, tout à coup, je dis à mes voisines : « Ça y est, j'ai compris, c'est *Surprise sur prise* ! », sans me douter qu'elles étaient complices de la farce et qu'elles avaient des micros sur elles. Elles parurent étonnées. Mais étais-je certain que cette projection fût une supercherie ? Tous ces critiques pour qui la connerie du film n'en était pas une ? Étais-je fermé à l'avant-garde ? Auraient-ils tous perdu leur après-midi pour me piéger ?

Je cherchai la caméra qui me filmait dans une salle qui, comme par hasard, était restée éclairée. Je crus la voir. Alors je sortis un journal et le lus jusqu'à la fin du film en jetant de temps en temps sur l'écran et sur mes confrères un regard goguenard.

Si je m'étais laissé avoir par les soi-disant sortilèges de la modernité, si j'avais cédé à la pression du snobisme, si j'avais été ridicule, comment aurais-je réagi vis-à-vis de ma fille et de ma collaboratrice ?

À propos...

J'ai raconté dans le *Dictionnaire amoureux du vin* le fameux congrès des farces et attrapes qui s'est déroulé, pendant le week-end de Pentecôte 1964, à Quincié-en-Beaujolais.

Femme (1)

J'ai connu une femme qui envoyait des fleurs pour leur anniversaire à chacun des maris et amants qui s'étaient succédé dans sa vie, et qui mourut ruinée par Interflora.

J'ai connu une femme dont l'oreille musicale était si fine qu'elle décelait les mensonges de son mari et de ses enfants, non pas à travers les mots qu'ils prononçaient, mais au son de leur voix.

J'ai connu une femme, très chrétienne, qui consolait les maîtresses de son mari dès qu'il les avait abandonnées et qui, s'il en était besoin, assurait auprès d'elles une sorte d'assistance sociale post-adultère.

J'ai connu une femme sentimentale comme un morceau de sucre, dont l'ami le plus proche était snob comme une petite cuillère.

J'ai connu une femme qui faisait volontiers l'amour quand elle avait des migraines, celles-ci disparaissant à l'acmé de sa jouissance.

J'ai connu une femme qui lisait chaque soir à son enfant un poème de Verlaine, de Rimbaud, de Baudelaire, d'Eluard, d'Aragon, etc., et qui fut surprise quand il lui dit : « Celui-là, c'est le plus beau, c'est celui que je préfère. » Elle en était l'auteur.

J'ai connu une femme qui, pour imposer son point de vue, pour asseoir son conseil, disait joliment : « Comme l'écrivait Mme de Sévigné à sa fille Mme de Grignan : "Fiez-vous à moi, je m'y connais." »

J'ai connu une jeune fille, son père étant milliardaire, d'une rare beauté, d'une intelligence si pointue qu'elle était au lycée première dans toutes les matières, et d'un caractère si aimable qu'elle avait été élue déléguée de sa classe.

J'ai connu une femme qui ne rêvait pas d'être l'épouse de Michel Platini, de Dominique Rocheteau ou d'Oswaldo Piazza, mais qui rêvait d'être Michel Platini, Dominique Rocheteau ou Oswaldo Piazza.

J'ai connu des femmes qui avaient des dons pour la musique, pour l'écriture, pour la comédie, pour les arts, pour les affaires, et qui, parce qu'elles n'avaient pas cru en elles, parce qu'elles avaient été mal orientées, parce qu'elles étaient tombées amoureuses d'un homme égoïste et macho, parce qu'elles avaient été trop vite en charge d'enfants, réalisèrent un jour, avec amertume, qu'elles étaient des femmes inaccomplies.

J'ai connu une femme qui, selon le mot de Simone de Beauvoir à propos de Germaine de Staël, « menait aussi rondement une grossesse qu'une conversation ».

J'ai connu une femme qui s'était fait mettre enceinte pendant certain week-end de fertilité et de lune ascendante, dans un lit orienté est-ouest, au septième étage d'un hôtel de la baie des Anges, et qui obtint de donner naissance à son enfant dans un lieu, au jour et à l'heure où le mouvement des planètes lui promettait le meilleur.

Femme (2)

La beauté de la femme est la seule preuve de l'existence de Dieu.

Le sexe des femmes est l'une des preuves les plus dissimulées et les plus flagrantes de la subtilité de la Création.

La peau si douce des femmes est la preuve la plus répandue et la plus tangible que le monde est bon.

Le sourire des femmes est la preuve qu'il ne faut pas avoir peur.

Les seins des femmes sont la preuve que Dieu a des mains de sculpteur.

Toutes les lèvres des femmes, apparentes et cachées, sont la preuve que les mots, publics ou intimes, naissent nécessairement du rapport à l'autre.

Les mains des femmes, bijoux sur bijoux, sont la preuve qu'il est des redondances bienvenues.

Juchées sur des talons hauts, les jambes des femmes sont la preuve que l'homme a su ajouter à l'excellence de la Création.

Les yeux des femmes sont l'une des preuves de l'existence du Diable.

Fisc

Non, le *fisc* n'est pas un mot péjoratif comme le familier ou populaire *flic*. Il vient du latin *fiscus*, panier pour recevoir l'argent, qu'on a drôlement élargi pour en faire le « Trésor public ». Les trous dans le fond sont si béants et nombreux que l'on ne parvient plus, depuis longtemps, à les boucher.

Après le baccalauréat arraché avec les dents, comme beaucoup de jeunes gens sans envie ni imagination, je m'étais inscrit à la faculté de droit. Ça ne pouvait pas me faire de mal. C'est alors que j'eus l'idée la plus stupide de ma vie, la plus folle, la plus extravagante, la plus déraisonnable, la plus farfelue, la plus grotesque, la plus sotte, la plus burlesque, la plus saugrenue, la plus risible, mais pas la plus impayable : devenir inspecteur des contributions. Directes ou indirectes, je ne sais plus. Toujours est-il que je me suis inscrit à un cours par correspondance qui préparait le concours d'entrée à l'école officielle. Comme il était prévisible, je ne compris rien au charabia administratif. On me renvoya des travaux écrits où chaque ligne était barrée de rouge et où j'étais prié d'être un peu plus sérieux et appliqué. J'en étais bien incapable. J'eus tôt fait de m'échapper du fisc.

Quelque temps après, nuance, je lui échappai. Par un hasard malicieux, deux élèves de l'École des inspecteurs des contributions étaient devenus des amis. J'étudiais le journalisme rue du Louvre. Dans la même rue se trouvait l'une des cantines du ministère des Finances. Le prix du déjeuner y était très doux. Débrouillards, mes deux copains m'introduisaient deux ou trois fois par semaine à la table de l'administration fiscale. Quand il y avait un contrôle des cartes, ils étaient généralement prévenus. Ainsi ai-je évité tous les filtrages des inspecteurs des inspecteurs. Futurs défenseurs de l'assiette des impôts, Éric et Marc s'amusaient, quand ils n'en étaient pas fiers, de frauder le fisc au bénéfice d'un couvert usurpé.

Fleuves

Dans le monde cosmopolite d'aujourd'hui, il faut être né de deux fleuves. Procéder de l'un et de l'autre par ses gènes, par son enfance, par son éducation, par ses voyages. N'être que de la Garonne ou du Nil limite l'horizon et l'ambition. Une eau seule ne crée pas dans l'âme ces remous, ces tumultes, ces inondations que provoque la confluence imaginaire de deux fleuves. Par exemple, la Seine et le Danube, la Loire et la Vistule, le Rhin et le Niger, le Rhône et le Mississippi. On est né auprès de celui-ci de parents issus de celui-là ; ou le père a grandi sur une rive de l'un et la mère sur une rive d'un autre ; ou la vie professionnelle de ses géniteurs a entraîné l'enfant à fréquenter tantôt un fleuve, tantôt un autre. Comme il n'y a pas deux fleuves semblables, il puise dans chacun ce qui imprègne sa sensibilité et qui, demain, donnera du débit au flux de sa création.

Alors, une chance pour moi d'être né à Lyon, rare ville traversée par deux fleuves, le Rhône et la Saône ? Quatre rives, vingt-huit ponts et passerelles, quatre viaducs, des quais au bord desquels s'élèvent des maisons très différentes, bourgeoises, cossues le long du Rhône, étroites, italiennes, populaires le long de la Saône. Des eaux qui charrient des géographies distinctes. Bref, le mythe intellectuel des deux fleuves à domicile ?

Eh bien, non, parce que, à la sortie de Lyon, la Saône se jette dans le Rhône (c'est toujours la femme qui se jette dans les bras de l'homme, n'est-ce pas ?). Les deux fleuves n'en font plus qu'un. La confluence s'opère sous nos yeux. Il n'y a plus de mystère. Le principe banal des vases communicants. On est dans la logique. On nage dans le franco-français. Lyonnais, je ne suis donc né que d'un fleuve.

Car je n'aurai jamais fonctionné à l'utopie des deux fleuves qui, très distants l'un de l'autre, ne peuvent se rencontrer que dans le rêve, dans la poésie, dans le fantastique. L'un et l'autre terminent leur course dans la mer, jamais la même. Être de deux fleuves, c'est être aussi de deux mers. Comment l'esprit n'en serait-il pas élargi, plus ouvert, enrichi, chambardé, et comme sans cesse battu par les flots ?

Beaucoup d'écrivains et d'artistes d'aujourd'hui, et plus encore de demain, possèdent et posséderont un imaginaire traversé par deux fleuves. Et plus si affinités.

> Géographie, Jeunesse

Flouter

Ce verbe est un enfant de la télévision. Quand une personne interrogée ou filmée veut garder l'anonymat, son visage est rendu flou. La loi oblige aussi à flouter les visages des mineurs. Il est rare qu'une enquête menée sur des sujets dits sensibles : la drogue, la violence, la délinquance, etc., n'ait pas recours au floutage. La presse écrite fait de même.

On remarquera la parenté de *flouter* avec les verbes *flouer* et *filouter*. De fait, le téléspectateur, qui est un voyeur insatiable, se sent floué. On lui cache des visages, on lui masque en partie la réalité. Les grands et les petits filous de la télévision ne seraient-ils pas en train de l'abuser ?

N'aimerions-nous pas, en certaines circonstances, quand nous nous trouvons dans des lieux peu convenables ou lorsque nous nous sentons moches, avoir le visage flouté ?

> Brouillard

Foi

Rien n'est plus intime et plus secret que la foi. Ou l'absence de foi. Ou le balancement entre la foi, le doute, l'agnosticisme et l'athéisme. C'est entre soi et soi. C'est à l'intérieur, très profond, très caché, et ça ne doit pas en sortir. On a toute liberté pour parler de ses chagrins, de ses ambitions, de son cul, de ses votes, de ses fantasmes, de ses remords, de ses joies, de ses ulcères, de ses peurs, de ses succès, de ses obsessions, de ses problèmes d'argent, de sa prostate, de sa famille, de ses psychanalyses, de ses vices, et même de son testament, mais il est préférable que Dieu dans tout ça reste incognito. Pas exposé. Incommunicable. Indicible. Trop sérieux, trop grave, trop personnel. Silence sur la continuelle palabre intérieure.

À propos…

Un jour, j'ai demandé à Dieu s'Il existe. Il m'a répondu. Il m'a répondu qu'Il n'existe pas.

> Prière

Folichon, onne

Marie Nimier : « Je lui racontai que j'étais seule à Baden-Baden. Que dîner devant la télé, un soir de réveillon, ce n'était pas folichon. Elle ne connaissait pas le mot *folichon* » (*Photo-photo*).

C'est un adjectif amusant, vieilli, qui signifie que quelque chose est agréable, gai. Mais il ne s'emploie que négativement. On ne dira pas qu'on a passé des vacances folichonnes, mais qu'elles ne l'ont pas été.

Ça n'est pas folichon est à rapprocher d'autres expressions toujours négatives : *ne pas barguigner*, *ce n'est pas de la tarte*, *ce n'est pas la mer à boire*, etc.

Football

J'aimais tellement le football que je restais volontairement au pensionnat le samedi après-midi et le dimanche, avec les élèves collés et ceux dont les parents habitaient loin, pour pouvoir y jouer plusieurs heures durant dans la cour de récréation.

Pourtant j'étais peu doué. Beaucoup d'énergie, déjà de la niaque, le sens du collectif, une application vertueuse à ne pas perdre le ballon, mais aussi limité dans la technique que fragile dans les duels physiques. Je n'étais pas assez costaud pour jouer à l'arrière, pas assez habile pour être devant. En ce temps-là, on mettait les moins bons au milieu. On ne disait pas encore « milieu de terrain », on disait « inter ». Je jouais inter droit. Comme, beaucoup plus tard, Michel Platini. Pardon, Michel !

Dans les années cinquante, le pensionnat Saint-Louis, à Lyon, sur les pentes de la Croix-Rousse, enregistrait des résultats calamiteux au baccalauréat et excellents dans les sports. Il était fréquent que les équipes scolaires, championnes régionales de foot, et les champions d'athlétisme, de cross-country et de tennis de table, sortent de ses rangs. D'où les frères du Sacré-Cœur tenaient-ils ce goût pour le sport ? Nous en faisions beaucoup. Nous étions encouragés à nous entraîner souvent, à solliciter notre corps, à en obtenir ce qu'il rechignait à nous donner.

Comment expliquer mon opiniâtreté – dix ans après avoir été pupille à Saint-Louis je jouais encore, dans l'équipe de la faculté de droit, ayant été entre-temps des juniors du lycée Ampère –, comment justifier ma passion à pratiquer un sport dans et sur lequel je me suis – réellement – cassé des dents ?

Le plaisir d'appartenir à une équipe. De jouer avec. Contre une autre. D'être de l'aventure, de la bataille. Les vestiaires avant et après. Minuscules, sans douche. Le fouillis des vêtements, l'odeur d'embrocation, le bruit des chaussures à crampons sur le ciment. Les protège-tibias comme les jambières des chevaliers. Le maillot tôt enlevé et jeté à terre après une défaite. Les hip ! hip ! hip ! hourra ! (prononcer :

hipipipoura !) après la victoire. Banals, répétitifs, ces avant-matches d'ados tout neufs, tout fringants, tout joyeux, et ces après-rencontres d'essoufflés, de crottés, d'entaillés, d'excités. Mais comme c'était bon !

Je dois au football d'avoir forcé ma nature rêveuse à me fondre dans un groupe où j'avais mes meilleurs camarades, et à me battre pour m'y faire une place. C'est du sport que je tiens mon ardeur dans la compétition au travail, mon ambition de réussir dans les tâches qui, souvent avec imprudence, m'ont été confiées. Plus redoutable était l'adversaire ou plus risqué le défi, plus je m'appliquais à jouer juste, malin et vigoureux. Toute ma vie professionnelle j'ai été un individualiste ayant l'esprit d'équipe.

Les frères du Sacré-Cœur n'ont pas fait de moi un homme pieux ni cultivé. Mais, sans eux, sans le football dont ils furent des croyants, des pères cellériers, et même des missionnaires, je n'aurais jamais marqué autant de buts à la télévision.

À propos…

Dans le langage du football, l'expression, aujourd'hui complètement démodée, *faire soutane* vient des patronages. Les prêtres jouant autrefois en soutane, il était impossible de réussir contre eux un *petit pont*, c'est-à-dire faire passer le ballon entre leurs jambes. *Faire soutane* c'est donc enrayer, bloquer une tentative de *petit pont*.

J'ai regretté de ne pas avoir connu, du temps du football chez les frères du Sacré-Cœur, l'expression *la messe est dite*, employée quand une équipe ne peut plus renverser le cours de la partie.

> Dimanche, Jeudi

Foutraque

Adjectif disparu du *Petit Robert*, mais encore en vie dans le *Petit Larousse*. Charles Dantzig le range dans sa liste d'expressions et de mots morts. Cependant, le trouvant « charmant » et l'ayant « pris à Sagan », il l'a « remis en circulation » autour de lui (*Encyclopédie capricieuse du tout et du rien*).

En dépit d'une folle concurrence : *dingo, cinoque, ouf, louf, barjo, toc-toc, maboul*, etc., je suis resté un utilisateur de *foutraque*. Dantzig et moi, nous enfermera-t-on à Charenton, tontaine et tonton, si nous créons le Front des Frappadingues de Foutraque (FFF) ?

Fragonarde

Joli mot inventé par Colette pour désigner une femme sensuelle, avec des rondeurs, telle que Fragonard les a peintes dans ses tableaux libertins et scènes galantes : « Telle beauté que nous avons, nous ses aînées de quinze ou vingt ans, connue délicieusement camuse, la lèvre courte, une fossette à chaque coin de bouche, et fragonarde comme pas une, nous la retrouvons (...) grandie, osseuse, avec un profil de cheval luxembourgeois » (*Marianne*, 9 novembre 1932).

Qu'elles étaient pulpeuses et lascives, nos fragonardes d'une nuit, d'un été ou d'une année ! La chambre exhalait des odeurs de sucs jaillis des grottes, de peaux frottées à l'impatience, puis caressées au savoir, d'amour exalté par l'amour. Un dernier coup d'œil, avant de tirer la porte, sur les draps chiffonnés à la Fragonard...

Fraîcheur

Jorge Semprun me dit un jour que le succès d'*Apostrophes* venait de ce que, n'ayant pas fait d'études supérieures, j'abordais la plupart des sujets avec une « fraîcheur » stimulante. Je découvrais, je m'initiais. Souvent, je manifestais de l'étonnement, que celui-ci fût vrai ou feint. Je n'étais pas dans la position du journaliste intellectuel qui en sait autant que ses invités et qui entend bien le démontrer pendant toute l'émission. Selon Semprun, j'avais su garder au fil des années, devant les écrivains les plus connus comme devant les plus dissimulés, une fraîcheur qui était en quelque sorte aussi celle du public.

Ce mot de *fraîcheur* était l'un des mots les plus souvent prononcés par mon épicier de père. Il aimait vanter auprès de la clientèle la fraîcheur des légumes et des fruits qu'il avait rapportés le matin même du marché-gare où il n'arrivait jamais après quatre heures et demie. Je l'y accompagnais, parfois, pendant les vacances. Je m'amusais d'entendre les grossistes lui vanter la fraîcheur des salades, des petits pois ou des framboises dont il allait faire l'acquisition de quelques cagettes. Peut-être, de retour chez elles, les clientes vantaient-elles à leur tour la fraîcheur des produits qu'elles avaient achetés chez mon père ? S'il avait tenu une poissonnerie, ce mot eût été un refrain perpétuel.

Le plus difficile quand on écrit un livre comme celui-ci, c'est de se rappeler, à travers des mots qui ont beaucoup vécu et qui appartiennent à tout le monde, leur fraîcheur au moment où ils se sont posés dans notre tête ou sur notre cœur. On voudrait ressentir leurs premières vibrations, apprécier de nouveau les couleurs et les odeurs qui étaient les leurs quand, par hasard ou par un effet de notre volonté, ils ont surgi dans notre existence. Retrouver l'innocence de l'enfant devant les mots. Ou la peur délicieuse de l'adolescent quand il en emploie certains qui ne sont pas encore de son âge et dont il pressent que, plus tard, ils pèseront lourd.

Les mots courants sont vieux, élimés, arthritiques, épuisés. Mais il est possible à chacun de nous, par amour pour eux, pour notre propre plaisir, de leur redonner leur vitalité initiale. Quand le mémorialiste a l'impression d'y parvenir, il se sent rajeunir et envahi par une miraculeuse fraîcheur.

À propos…

Dans le langage des lycéens d'aujourd'hui, « elle fait sa fraîcheur » signifie qu'elle frime, qu'elle crâne.

Fricassée

Il suffit que j'entende prononcer le mot *fricassée* pour que ma petite machine à produire des sucs gastriques se mette en route. Cela ne provient pas de l'évocation du ragoût de morceaux de viande blanche ou de poisson tel qu'on en trouve les recettes dans les livres de cuisine. Plus simplement, depuis mon enfance, s'appelle *fricassée* ce qui cuit au beurre dans une poêle, essentiellement pommes de terre et champignons. « Et si on se faisait une fricassée de patates ? » Au printemps, ce sont des petites rattes. On les entend mijoter sous un grossier couvercle et leur chanson croît brusquement quand une spatule ou une simple fourchette les retourne.

Frichti

Pour les dictionnaires, un *frichti*, mot familier qui vient de l'allemand *Frühstück* (petit-déjeuner), est un repas ou un plat que l'on prépare. C'est tout. Pour moi, c'est davantage. Un frichti est un repas simple, sans manières, à la fortune du pot, mais délicieux parce que composé d'un ou de plusieurs plats cuisinés selon des recettes traditionnelles. Un déjeuner entre copains peut être appelé *frichti*. Un célibataire nommera *frichtis* ses repas solitaires. « Je n'ai pas de salle à manger, lui dit finalement cet homme tranquille, et, d'habitude, je déguste mon petit frichti sur cette table de marbre que vous voyez là » (Jean Giono, *Le Hussard sur le toit*).

Le mot *frichti* me donne de l'appétit.

Gambettes

Oui, cette femme a de très belles jambes. Mais si vous dites qu'elle a de belles gambettes, c'est mieux, le compliment est encore plus flatteur. Car les gambettes (de *gambete*, en picard) ajoutent de l'agilité, de la jeunesse, de la pétulance, et même un peu d'effronterie dans la sensualité.

Quitte à scandaliser quelques lectrices, j'aime bien aussi les femmes hautes sur pattes. Celles-ci sont la propriété des animaux, mais les femmes donnent au mot une élégance à la fois poétique et canaille. Femmes-oiseaux, femmes-libellules, femmes-cigales, femmes-gazelles, que vous êtes séduisantes perchées sur vos talons aiguilles, bougeant vos pattes avec un naturel qui doit autant à l'instinct qu'à l'apprentissage.

En revanche, si elles appartiennent aux hommes, les pattes sont souvent péjoratives. « Bas les pattes ! » s'exclame la femme qui se refuse à des mains hardies. « Enlève tes grosses pattes de là ! » Et autres expressions dans lesquelles les pattes ne sont pas bien considérées : avoir un fil à la patte (n'être pas libre), graisser la patte de quelqu'un (l'acheter), en avoir plein les pattes (être harassé), tomber entre les pattes de quelqu'un (être asservi), un moteur qui marche sur trois pattes (qui a des ratés), etc.

Une jolie expression a quasiment disparu : *se faire faire aux pattes*, *être fait aux pattes*, c'est-à-dire se faire prendre, être battu, être impuissant. Bonheur, tout à coup, de la découvrir, cette expression, sous la plume de Jacques Julliard, appliquée à des personnes dont les pattes ne sont pas la partie la mieux considérée de la personnalité : les intellectuels. La phrase mérite d'être entièrement citée : « Que les intellectuels parlent, et on les accuse de faire leur publicité sur la misère du monde ; qu'ils se taisent, et l'on dénonce un silence fait de lâche complaisance et de complicité tacite. Quoi qu'ils disent ou ne disent pas, qu'ils fassent ou ne fassent pas, ils sont faits aux pattes » (*Le Nouvel Observateur*, 20 mai 2010).

Voilà qui s'appelle avoir de la patte !

Générosité

La générosité du cœur. La générosité de tous les jours. Celle qui s'exprime avec des gestes, des mots, des sourires. Naturelle, spontanée, gaie, la générosité qui est comme un réflexe, une manière d'être. Elle ne coûte rien, sinon une attention aux autres, qu'ils soient présents ou absents.

S'ils sont présents, on s'intéresse à eux, on leur pose des questions, on les écoute, on les fait rire ou sourire, on leur dit qu'ils nous ont manqué, que l'on a pensé à eux, et que l'on est heureux de les retrouver.

S'ils sont absents... C'est là que le monde moderne est formidable, tant sont nombreux et rapides les moyens mis à notre disposition pour nous manifester. Je pense surtout aux courriels et aux textos qui peuvent être envoyés à tout moment sans déranger leurs destinataires. Cela ne prend qu'une ou deux minutes, pour dire bonjour à celui-ci, bonne nuit à celle-là. Pour encourager, pour féliciter, pour remercier, pour conseiller, pour consoler. Pour dire son amitié ou son amour. Pour dire que, distants de dix ou de mille kilomètres, on pense à vous. Vous êtes présents dans notre vie et cela nous fait plaisir de vous l'écrire. Jolie surprise de recevoir sur son ordinateur ou sur son iPhone un signe de complicité, de solidarité, de gaîté, de mélancolie, d'estime, d'affection, de tendresse, que l'on n'attendait pas. Un clin d'œil. Un élan impromptu. L'irruption chez soi d'un cœur généreux.

Rien n'est plus agréable, au retour d'un voyage, que de lire sur son ordinateur un message de bienvenue chez vous envoyé par les personnes chez lesquelles vous avez passé quelques jours. Peut-être y ont-elles déjà ajouté quelques photos de votre séjour ?

Géographie (1)

Toute ma vie, je suis allé dans des lieux qui, comme par hasard, se situaient dans une pliure de la carte, là où il n'est pas commode de l'étaler et de la lire. Quand c'était un atlas routier, je découvrais, énervé, que j'allais me rendre dans un endroit qui figurait dans le coin d'une page et que, pour y parvenir, je devrais consulter une ou deux autres pages où les routes d'accès, se trouvant elles aussi aux extrémités, me paraîtraient incertaines.

Pourquoi jamais la ville ou le village plein centre ?

Pourquoi, conducteur ou passager, être chaque fois dans l'obligation de déplier, de replier, de redéplier, de regarder comment ça continue de l'autre côté ou sur l'autre page, de vérifier si la départementale ou la vicinale est bien la même que celle repérée avant d'avoir, excédé, changé de côté ou de page ?

Ce « syndrome de la pliure » est une vengeance de la géographie. Elle ne m'a jamais pardonné de ne représenter par mes ascendants que deux départements, de surcroît limitrophes : la Loire et le Rhône. Je suis le rejeton de familles de paysans enracinés dans leur terroir, qui n'ont pas cherché à savoir ce qui se cachait derrière l'horizon. Des sédentaires, des culs de plomb qui sont restés là où le destin les avait placés et qui s'y sont trouvés bien. Les seules frontières qu'ils aient franchies, c'étaient celles, sans risque, de leurs cantons.

Français du centre de la France, je me suis toujours senti lisse, pauvre, sans mystère, lorsque je rencontrais des femmes et des hommes porteurs de chromosomes apatrides, de filiations incertaines. Ils étaient nés dans des pliures de la géographie, dans des codicilles de l'histoire. Leur sang était un peu ukrainien, un peu polonais, un peu hongrois, un peu juif, avec peut-être quelques gouttes de calva ou de grappa. Ils parlaient plusieurs langues, ils récitaient des poèmes russes ou grecs, ils jouaient d'un instrument de musique. Plus les routes de leurs aïeux avaient été nombreuses et chaotiques, moins ils hésitaient sur les chemins à prendre, quitte à bifurquer sur un coup de tête et à rompre avec des amours, des amis et des habitudes auxquels on les croyait attachés.

J'étais fasciné par leur mépris des frontières. Je souffrais de leurs tentatives d'aller voir ailleurs. Leur sens de l'orientation n'était jamais pris en défaut. Et quand ils consultaient une carte ou un atlas, eux qui provenaient de recoins, de plissements, de dévers, de nulle part, ils mettaient le doigt, là, au beau milieu de la page, au plus lisible de la géographie.

Le GPS a supprimé la pliure et son syndrome.

> Fleuves, Jeunesse

Géographie (2)

Et si les plus beaux mots étaient les noms de pays, de lieux, surtout de villages et de villes, qu'ils soient de France ou d'ailleurs ? Il me semble que si j'avais eu un talent de poète, j'aurais farci mes poèmes de ces noms qui chantent le voyage, l'aventure, l'exotisme, la terre cartographiée mais libre, la longue marche des hommes et leur volonté, un jour, de se fixer dans des vallées, dans des ports, à la lisière des déserts ou à flanc de montagne. Des noms géographiques qui doivent souvent leur renommée à l'histoire. L'alliance de l'une et de l'autre a inspiré à Gilles Lapouge des livres magnifiques.

Dans son poème *Le Conscrit des cent villages*, Aragon nous fait respirer l'« odorante fleur du langage ». Dans *Le Fou d'Elsa*, voyez comme il se promène dans l'histoire et la géographie de l'Espagne :

« Donnez-moi le chant des fontaines
Murcie où sont les soirs si doux
Majorque et les îles lointaines
Avec leurs barques incertaines
Les barrages devers Cordoue

Le pré d'argent près de Séville
L'armoise autour d'Almeria
Et les monts comme un jeu de quilles
Sur les collines de jonquilles
Où Grenade s'agenouilla. »

J'aurais glissé dans mes poèmes des noms magiques comme Tegucigalpa, L'Haÿ-les-Roses, São José dos Campos, la mer des Sargasses, la Corne d'Or, Mourmansk, Casablanca, Oulan-Bator, Zhengzhou que j'aurais peut-être fait rimer avec Le Lavandou, et puis aussi Vancouver, Chicoutimi, La Chaise-Dieu, Reggio di Calabria, Chio, Novossibirsk, Uppsala, Sierra Leone, le Grand Désert Victoria, Arcadie, Hokkaidō, Babadag, Saint-Amour…

Les cartes sont des poèmes, les atlas des épopées, les mappemondes des fables universelles colportées par les derviches tourneurs.

À propos…

Du diplomate et poète Henry J.-M. Levet j'aime relire les *Cartes postales.*

> « *Car il pense encore à cette jolie Chilienne*
> *Qu'il doit quitter en débarquant, à Loango…*
> *– C'est pourtant vrai qu'elle lui dit : "Paul, je vous aime",*
> *À bord de la* Ville de Pernambuco. »

Extrait du poème *Afrique occidentale*
dédié à Léon-Paul Fargue

Gobelotteur, euse

Vieux mot que je ne connaissais pas quand j'ai écrit mon livre sur le vin. Un *gobelotteur* – de *gobelet* – est un homme qui boit de l'alcool avec excès ou qui a fréquenté assidûment les cafés. Les femmes sont des *gobelotteuses*. Elles aussi aiment *gobelotter* ou pratiquer le *gobelottage.*

« Un bon à rien, je dis, un gobelotteur, un feignant, et pas même républicain ! » (Élémir Bourges, *Les oiseaux s'envolent et les fleurs tombent*).

Gone

Le gone est un gamin lyonnais comme le gavroche est un enfant de Paris. C'est un terme affectueux qui pouvait se teinter d'un peu d'ironie quand le gone, après avoir mangé beaucoup de *rosettes* (longs saucissons secs) et de *clapotons* (pieds de mouton en rémoulade), était trop vite monté en graine. Aujourd'hui, le mot désigne indifféremment, avec même une certaine sympathie, tous les Lyonnais de sexe masculin, qu'ils soient nés à Lyon ou qu'ils y habitent (depuis un nombre d'années qui vaut naturalisation).

Deux maximes de *La Plaisante Sagesse lyonnaise* :

« Les vrais bons gones, c'est ceux qu'ont des défauts qui ne font tort qu'à eux. »

« Pour ce qui est de la chose de l'amour, n'y sois pas regardant parce que, vois-tu, gone, que t'en uses ou pas, ça s'use. »

Ayant quitté Lyon depuis un demi-siècle, même si j'y fais des *retintons* (retours) avec un plaisir auquel se mêle de plus en plus de nostalgie, suis-je encore un *franc gone* ? Un *bon gone*, j'espère, comme le disait Marguerite, l'une des deux vendeuses de l'épicerie familiale.

Quartier de « gonesse » le plus recherché : les pentes ou le plateau de la Croix-Rousse. Mais les Brotteaux, Saint-Jean, le Gourguillon, Ainay, la Guillotière, etc., fournissent d'excellents labels.

Prix Goncourt 1922 pour *Le Martyre de l'obèse*, Henri

Béraud est un Lyonnais de naissance et de bonne farine, la boulangerie paternelle se trouvant 8, rue Ferrandière, entre Rhône et Saône. « Nous autres, les gones, étions de la rue comme les petits croquants sont de la route. Nous y vivions. Nous y apprenions tout ce qui s'apprend hors de l'école, et que certains ne sauront jamais » (*La Gerbe d'or*).

Azouz Begag n'est pas moins lyonnais que Béraud. Lui aussi, mais soixante-douze ans après, a ouvert ses *clinquets* (yeux) dans la ville de Guignol et raconté son enfance dans un quartier périphérique de baraquements. « Me suis-je lavé le visage, ce matin ? Ai-je au moins passé mon pantalon ? Je porte les mains sur mes cuisses. Tout est en ordre, je ne suis pas sorti nu. Je peux continuer à marcher sur le chemin de l'école, avec les gones du Chaâba » (*Le Gone du Chaâba*).

Le pain et l'accent étaient meilleurs chez Béraud que chez Begag, mais des deux gones, peut-être est-ce ce dernier qui honore le mieux les légendaires qualités lyonnaises d'application, d'effort, d'opiniâtreté ?

À propos…

Honoré de nombreuses fois par la Bourgogne (prix littéraires, présidences), de plus en plus lyonnais bourguignon, devant la confrérie des chevaliers du Tastevin, j'affirmai solennellement, un soir de banquet, que j'étais un « bourgone ».

Gourmandise

Je l'embrassai pour la première fois sur la bouche dans un taxi. Surprise, mais pas étonnée parce qu'elle savait bien que j'en arriverais là à un moment ou à un autre, elle s'exclama : « Vous êtes bien gourmand ! »

Ce qui était juste. Et l'est toujours.

Tout en étant consentante, elle aurait pu dire : « Vous êtes bien pressé ! » Ou : « Vous êtes bien leste ! » Ou : « Vous êtes bien hardi ! » Elle avait spontanément trouvé l'adjectif qui me caractérisait le mieux, car j'imagine mal que d'un premier baiser, inopiné et maladroit, auquel elle ne s'attendait pas, elle ait retiré une sensation de gourmandise qu'elle m'aurait aussitôt attribuée.

Il y a de l'inné dans la gourmandise. On naît plus ou moins fine gueule. Mais c'est surtout de l'acquis que se fortifie l'envie des bonnes choses de la terre et de la mer. L'éducation alimentaire est primordiale. Les talents culinaires de la maman (aujourd'hui, souvent, du père), des tantes, des amies des parents développent et affinent le goût de l'enfant, le rendent parfois critique et exigeant, en font un gourmand, bientôt un gourmet. Je fus cet enfant-là, puis ce jeune homme. Qui ignorait qu'il avait de la chance d'être d'une famille lyonnaise et beaujolaise où l'on mangeait des produits et des plats de la région, classiques, simples, délicieux. Beaucoup plus tard, étudiant à Paris, j'ai découvert la cuisine des personnes qui avaient la gentillesse de m'inviter ou des petits cafés-bistros où j'avais le week-end mon rond de serviette, et la comparant à la cuisine familiale, je pris conscience de l'excellence des tables de ma jeunesse.

Il est curieux, il paraît même inexplicable que, soixante ans plus tard, je lie dans ma mémoire ce qu'avec délectation je mangeais et je lisais. J'étais plus gourmand des nourritures terrestres que livresques. Et pourtant, aujourd'hui, si j'évoque la soupe de courge, le gâteau de foies blonds de volailles, le gratin de cardons ou les quenelles de brochet, je leur associe aussitôt des fables de La Fontaine, des contes de Perrault, des albums de Tintin et des lettres de Mme de Sévigné. Aucun rapport entre ces plats et ces livres, sinon le plaisir que j'en retirais. De même, continuant d'interroger les liaisons improbables, alors, des bonheurs de bouche et des yeux (encore que la vision d'un plat participe beaucoup à sa gustation), je me délecte rétrospectivement de mêler les grattons, le coq au vin, la poularde demi-deuil, la cervelle de canut, les gaufres, les bugnes avec la comtesse de Ségur, Jules Verne, *Cœur vaillant*, Fenimore Cooper, Jack London et Walter Scott.

Je crois que cet amalgame assez farfelu des plats et des livres dépasse largement la remémoration des plaisirs. Il y avait dans tout cela quelque chose de fondateur de ce que je deviendrais. C'était en quelque sorte l'alliance de ce qui tient au corps et de ce qui excite l'imaginaire. Le concret et le rêve. Les fusionner si longtemps après est une marque de fidélité à ma gourmandise originelle. Celle-ci s'ouvrirait ensuite à bien d'autres…

> Cardon, Poularde demi-deuil,
> Quenelle de brochet

Goût

Je participerais volontiers à une manifestation monstre pour l'augmentation du goût de la vie.

Je ne sais plus distinguer le goût du rutabaga de celui du topinambour. Une paix trop longue n'a pas que des avantages.

Qu'est-ce qui a un goût de revenez-y ? L'amour et la crème brûlée. C'est la même chose.

Le goût du caviar. « Je pense à cette dame très XVIe qui, emportée dans un grand élan patriotique, le jour du défilé gaulliste de la Concorde à l'Étoile, s'écria : "Regardez ! Regardez toutes ces têtes ! On dirait du caviar !" » (André Roussin, *Le Figaro*, 27 décembre 1968).

Douloureuse surprise de constater qu'avec l'âge le goût décline comme la vue et l'ouïe. Le nez perd de son flair et l'ordre ne règne plus au palais. (La diminution ou la perte de l'odorat a un nom : l'anosmie.)

Les filles pendaient une double cerise à chacune de leurs oreilles. Par surprise les garçons approchaient leur bouche pour en attraper au moins une. Cette cerise-là avait déjà le goût ensorcelant du fruit défendu.

Le jeûne et l'abstinence donnent du goût à ce qui n'en a guère.

Ma madeleine de Proust à moi est aussi un gâteau. Sec ? Fondant ? Très sucré ? À la crème ? Avec sauce tomate : le gâteau de foies blonds de volailles.

Chez les jeunes catholiques, le goût du péché est un stimulant pour transgresser les commandements de Dieu et de l'Église. C'est même un aphrodisiaque.

Le goût de sa sueur n'est pas le même selon que sa peau, avant, était recouverte d'étoffes ou exposée au soleil. La sueur amoureuse du matin est plus saline que celle du soir ; et c'est au printemps, comme une montée de sève, que la peau bien-aimée exsude son meilleur élixir.

C'est grâce à une cuisine audacieuse, risquée, et à des chefs imaginatifs – même si certains ne sont que de dangereux mixeurs sur pattes – que nous avons découvert dans notre assiette des goûts inédits, sublimes, que les gourmets des générations précédentes auraient moqués au seul énoncé des mélanges.

Gribiche et ravigote

Deux noms de sauce si ravissants qu'ils pourraient prétendre à d'autres états civils : « Oui, j'ai deux chattes, l'une s'appelle Gribiche, l'autre Ravigote » ou « Pauline et Paulette : ce sont les prénoms de mes jumelles. Moi, je voulais les appeler Gribiche et Ravigote, mais leur mère n'a pas voulu. Dommage... »

Gribiche serait une jeune fille assez relevée alors que Ravigote se montrerait plus piquante. Raffolant l'une et l'autre de la tête de veau, Gribiche et Ravigote seraient gourmandes de cervelles et de langues. Elles deviendraient fatalement d'habiles discoureuses pleines d'esprit. Leur présence serait très appréciée autour de la table. Elles philosopheraient sur le jaune d'œuf dur. Elles parsèmeraient leurs confidences d'odorantes fines herbes. Pour clouer le bec des ennuyeux et des tracassiers, elles feraient vinaigrette. Il y aurait des câpres dans leurs bons mots. Comme la marquise du Deffand et Mlle de Lespinasse, Gribiche et Ravigote seraient deux grandes saucières de la conversation française.

Guillemets

Mot si singulier qu'on le met toujours au pluriel. Comme les testicules, les frères Lumière, les lits jumeaux, les pôles et les lièvres courus à la fois, les guillemets vont par deux. On les ouvre et on les ferme. On les ouvre quand une personne ouvre la bouche et on les ferme quand elle la ferme. C'est le signe graphique de ce qui est rapporté : une conversation, une citation, une transcription.

Analogues aux presse-livres, les guillemets sont des presse-mots. Ils en emprisonnent quelques-uns qui ont été capturés à l'extérieur, dans des textes ou dans des dialogues. Mais bien loin d'être asservis, ces mots sont mis en valeur. Les guillemets leur donnent de l'importance. Ils sont un signe de référence, d'authenticité. Parfois, un seul mot est mis entre guillemets. C'est un bijou ou une grenade dégoupillée. Un tatouage ou une cicatrice. Une rose ou un chardon. Le lecteur ne peut pas le rater.

Ma première émission littéraire à la télévision s'intitulait *Ouvrez les guillemets*. Tout ce qui était dit pendant soixante-dix minutes était donc entre guillemets. Quand l'un de mes invités ou moi lisions un texte ou faisions une citation, nous ouvrions des guillemets à l'intérieur des guillemets. Déjà, je vivais aux crochets de la littérature.

On ne sait jamais comment terminer une émission. « Bonsoir à tous, à la semaine prochaine », banal. Alors qu'il était original et plaisant de conclure ainsi : « Bonsoir à tous, à la semaine prochaine. Fermez les guillemets. »

À propos…

Le verbe *guillemeter*, mettre entre guillemets, existe. Il est rarement employé.

Des hommes politiques et des animateurs de radio et de télévision abusent de l'expression « entre guillemets ». Ils disent une phrase assez forte ou emploient un mot courageux ou politiquement incorrect, mais ils en atténuent aussitôt la portée en ajoutant : « entre guillemets ». Entendez par là qu'ils l'utilisent par facilité, pour se faire comprendre, mais qu'ils n'en sont pas solidaires. « Entre parenthèses » est l'expression favorite des avocats du diable et des faux culs. Sans guillemets.

Hippopotame

Ayant observé qu'il pâture la nuit et que, le jour, dans l'eau, il est obligé de sortir sa grosse tête toutes les cinq minutes pour respirer, André Gide se demandait quand l'hippopotame dort. De son corps de fort tonnage émane une impression de puissance mais aussi de maladresse. Massif et balourd, il ne détale pas assez vite pour échapper aux chasseurs. C'est la faute aux linguistes qui – observez le mot *hippopotame* – ne lui ont donné que trois *p* pour soutenir sa masse. Il marche sur trois pattes. Pour qu'il se déplace plus rapidement, pour qu'il soit plus assuré sur terre et dans l'eau, ajoutons à son nom un quatrième *p*. L'hippoppotame nous en sera reconnaissant.

> Libellule, Rhinocéros

Hirondelle

On appelait *hirondelles* les agents à vélo et à pèlerine. Métaphore apparemment ironique car le vol des hirondelles est très rapide alors que le déplacement des pandores était poussif. Mais, quand ils appuyaient sur les pédales, la cape sombre flottant derrière eux ressemblait, paraît-il, à des ailes d'hirondelle. Le premier à oser la comparaison devait être un poète, ami de la police, qui avait bu.

On appelle encore *hirondelles* les resquilleurs de la culture : les personnes sans invitation qui parviennent à se glisser aux premières des théâtres, des cinémas, des music-halls, dans les vernissages, dans les coquetèles littéraires…

Les hirondelles des spectacles viennent pour le spectacle, alors que les hirondelles littéraires viennent pour le boire et le manger. J'ai beaucoup côtoyé celles-ci dans les réceptions des éditeurs et surtout dans les coquetèles des prix. Dans les années soixante et soixante-dix, les hirondelles les plus connues parce que le plus souvent présentes étaient une demi-douzaine de femmes et d'hommes assez âgés, plutôt sympathiques. Tout en engloutissant verres de vin et sandwiches (le matin), champagne et petits-fours (l'après-midi), ils manifestaient de la curiosité pour le résultat du scrutin et pour le lauréat, alors que rien ne les obligeait à jouer les journalistes qu'ils n'avaient jamais été, tout le monde le savait, même les serveurs. Toujours très proches de la table ou du bar, ils étaient parfois un peu bousculés par des éditeurs ou des confrères impatients de se rafraîchir, mais, sans jamais protester, ils s'écartaient juste assez pour reprendre leur position stratégique dès que les ayants droit s'étaient repliés un verre à la main. Ces scènes étaient une illustration concrète de ce que Julien Gracq a appelé « la littérature à l'estomac ».

La plus audacieuse des hirondelles était une vieille femme, toute de noir vêtue, qui portait un grand cabas. Très discrètement, elle s'emparait d'un plateau rempli de petits sandwiches ou de petits-fours et les faisait disparaître dans la gueule béante du sac. C'était un écureuil niché dans une famille d'hirondelles.

Il y a toujours des gens qui resquillent. Mais je n'entends plus parler d'*hirondelles*. Le mot dans cette acception est-il en train de disparaître ? Et pourquoi appelle-t-on ou appelait-on ainsi ces habiles personnes ? Quelle ressemblance avec les passereaux migrateurs ? Je donne ma langue au chat. Autrefois, les hirondelles, les vraies, étaient nombreuses à faire leur nid à l'intérieur des remises, des hangars et des granges sans porte ou qui restaient ouverts du printemps à l'automne. Impuissants, furieux, les chats levaient les yeux vers les poutres et les recoins du plafond en poussant de brefs miaulements plaintifs. Ils ne pouvaient espérer qu'en la chute accidentelle d'un oisillon.

Historier

Nous avons tous découvert sur les menus des restaurants des mots dont nous ignorions le sens : noms de plantes exotiques ou rares, vocabulaire de cuisine régionale, noms de produits ou de préparations étrangers… Plus étonnant, c'est d'y trouver un mot bien français dont nous ne savions pas qu'il était aussi employé en cuisine et qu'il avait donc une acception gastronomique. Ainsi, le très sérieux verbe *historier*, c'est-à-dire, dans son sens premier, décorer de scènes avec personnages, en particulier ceux de l'Écriture sainte.

Cela se passait chez Olivier Alemany, qui tient le restaurant La Closerie, au pied du château d'Ansouis, dans le Vaucluse. Il présente une carte dont deux grandes pages sont occupées par des verbes imprimés sans ordre, à la suite les uns des autres, qui se rapportent tous à l'art et à la science de la table : brider, macérer, désosser, blanchir, flamber, mijoter, gratiner, dénoyauter, pocher, etc. Et voilà qu'au milieu de ce festin de verbes alléchants, l'œil tombe sur l'incongru *historier*.

Lequel est ignoré de nos dictionnaires usuels quand il est utilisé en cuisine. Mais il n'a pas échappé au *Larousse gastronomique*. On historie un citron ou une orange quand on découpe le fruit en dents de loup ou en panier, quand on le transforme artistiquement. « D'une manière plus générale, l'historiage désigne le décor d'un plat enjolivé de petits ornements. » C'est au fond l'utilisation en cuisine d'*historier* dans son sens d'aujourd'hui : avec ou sans personnages, orner, décorer, enjoliver, embellir.

Chapiteau ou citron, l'un et l'autre peuvent être historiés…

Homme

J'ai connu un homme qui tutoyait les coquelicots, les pivoines, les orchidées, les amaryllis, les tulipes, les iris, les hortensias, les rhododendrons et beaucoup d'autres fleurs, mais qui, intimidé, disait vous aux roses.

J'ai connu un homme qui avait ramassé la chapka de Blaise Cendrars, tombée du Transsibérien peu après Iekaterinbourg.

J'ai connu un homme pieux qui confiait sa correspondance à une boîte aux lettres du Vatican, le cachet de la poste faisant foi.

J'ai connu un peintre qui ne peignait que des soldats et des batailles, et qui mourut d'une balle perdue.

J'ai connu un homme qui récitait à la belle truite arc-en-ciel qu'il venait de pêcher dans un gave des Pyrénées le début de l'*Oraison funèbre d'Henriette-Anne d'Angleterre, duchesse d'Orléans*, écrite et prononcée par Bossuet.

J'ai connu un homme qui murmurait à l'oreille des pur-sang des récits de courses gagnées d'un museau à Trébizonde et à Santiago del Estero.

J'ai connu un homme qui, à ses huit enfants réunis, un jour a dit : « Je sais que l'un de vous n'est pas de moi. J'attends qu'il se dénonce ! »

J'ai connu un homme qui écoutait sur un iPhone le bruit de l'océan qu'il avait entendu pendant toute son enfance, l'oreille collée à un gros coquillage.

J'ai connu un homme qui prétendait être la réincarnation de Moïse et qui s'est noyé dans la mer Rouge.

J'ai connu un homme qui considérait que, comme un cépage, il devait choisir le sol le mieux adapté à sa nature, et avait construit sa maison sur un terroir marno-calcaro-gréseux d'Alsace.

J'ai connu un homme qui, ceint d'une écharpe verte, lisait Proust dans une tribune du stade Geoffroy-Guichard, à la mi-temps du match légendaire Saint-Étienne-Kiev.

J'ai connu un homme, écrivain célèbre, qui, plus de vingt ans avant de mourir, avait choisi ce qui serait son dernier mot et qui, au moment fatal, dit : « Je ne m'en souviens plus. » Ses proches et ses lecteurs s'attendaient à mieux.

J'ai connu un homme qui, dès les premières nuits du mois d'août, perché tout en haut du massif de l'Aigoual, tapait dans ses mains pour donner le signal de départ aux étoiles filantes (en hommage à Alphonse Allais).

J'ai connu un homme qui disait d'une femme qu'il avait aimée : « Elle m'a manqué », allusion à la balle de revolver qui l'avait raté.

J'ai connu un homme qui, donnant son sang chaque mois, fut récompensé de sa générosité et de son civisme par des médailles, mais qui, à la moindre égratignure, à la plus légère coupure, regardait, effaré, se perdre quelques gouttes d'un Trésor national.

Impatience

Quand Robert Laffont me proposa de lui succéder à la tête des éditions qu'il avait fondées et qui portent son nom, je le remerciai avec une chaleureuse sincérité et déclinai aussitôt son offre. Parce que, lui expliquai-je, les qualités essentielles d'un journaliste n'en font pas, loin de là, l'homme idoine pour diriger une maison d'édition.

Je n'appuyais mon raisonnement que sur un seul exemple, mais déterminant, capital : l'impatience.

Un journaliste est, par nature, par intérêt professionnel, un impatient chronique, angoissé, presque maladif. Premier à détenir une information, premier sur un « scoop », il veut aussi en être le premier divulgateur, que ce soit par écrit, par la parole ou par l'image. Il vit dans la hantise d'être « grillé » par un confrère. C'est un chasseur d'exclusivités, de priorités, d'antériorités, de « pole positions » : « Nous avons été les premiers à vous révéler que... » Même dans la critique littéraire, une course est souvent engagée entre plusieurs grandes signatures pour être la première à faire l'éloge d'un livre, alors que celui-ci n'est pas encore en librairie.

J'ai toujours aimé faire des émissions en direct, qui ne demandent que la patience d'être à l'heure et de tenir l'heure. Au contraire, les émissions enregistrées qui seront diffusées plus tard, et qui, entre-temps, sont montées, coupées, modifiées, parfois reconstruites, m'auraient jeté dans une impatience que les chiffres de ma tension auraient pu mesurer.

Quand je dirigeais le mensuel *Lire*, je souffrais – plus qu'intellectuellement, physiquement – d'impatience. Les délais de fabrication – de la remise de la copie, au magazine qu'on tient enfin entre ses mains – me rendaient malade. « Où est le progrès ? » tempêtais-je contre des techniques d'impression et d'imprimerie réputées très modernes, qui me paraissaient exiger plus de temps que les précédentes, et même de plus anciennes.

Comment, dis-je à Robert Laffont, un impatient névrosé comme moi pourrait-il se transformer du jour au lendemain en un éditeur, dont l'une des qualités majeures est la patience ? Attendre des manuscrits qui sont toujours en retard. Et, quand ils arrivent, s'apercevoir que les auteurs devront retravailler leurs textes, en espérant qu'ils auront le courage et la patience de le faire. Être attentif aux états d'âme des écrivains, les inviter à déjeuner, les chouchouter, les flatter, les recadrer, les relancer, les lire, les relire, discuter de leurs contrats, parler argent, à-valoir, pourcentages, publicité, quelle horreur ! Et quelle patience !

Robert Laffont me dit que le métier réservait aussi de bonnes surprises et il m'en raconta plusieurs dont il se félicitait encore. Mais il est vrai, convint-il, que l'éditeur doit s'efforcer de ne jamais verser dans l'impatience, sa vie devenant alors un enfer.

De toutes les impatiences, la pire est celle qui relève du cœur. L'impatience amoureuse. Anxieux, nerveux, on guettait le facteur qui apporterait ou n'apporterait pas la lettre tant espérée. « Tout mon sang se bouleverse pour un courrier manqué », écrivait Mme de Staël, en attente d'une lettre de Louis de Narbonne, son amant. Les yeux rivés sur le téléphone, on priait le ciel qu'il sonnât enfin. Pour annoncer quoi ? Une promesse, un refus, une acceptation ? Un autre coup de téléphone ? Oh ! le rire cruel, ou cette voix douce... Non, ne coupez pas, s'il vous plaît... Oui, non, je n'entends pas, je n'entends plus... La lenteur du courrier et les mauvaises liaisons téléphoniques ajoutaient à l'impatience de celui qui ne savait pas encore si ses tentatives, ses audaces, ses premiers mots, ses premiers gestes avaient été bien perçus et s'ils seraient la bonne introduction à une nouvelle aventure sentimentale.

Aujourd'hui, on pourrait croire qu'avec les téléphones, fixe et portable, l'ordinateur, les courriels, les textos, les fax, les blogs, les photos instantanément échangées, les couples se faisant ou se défaisant en un instant, l'impatience amoureuse a disparu. Certes, elle s'étale moins dans le temps, elle n'est plus soumise aux caprices des dames de la poste et du téléphone, mais elle est beaucoup plus violente. Sauvage. Insupportable. Les quelques minutes ou les quelques heures pendant lesquelles on attend le clic qui vous envoie vous faire foutre ou qui vous promet le ciel sont insoutenables. L'ordinateur a un cœur qui bat très vite, vous l'entendez, mais c'est le vôtre. Ne comptez pas sur l'iPhone ou sur le Mac pour qu'il arrête la mauvaise nouvelle ou pour qu'il accélère la bonne. Ce sont des monstres froids. Votre impatience, pourtant si manifeste, si douloureuse, ils s'en fichent.

Heureux amants qui s'envoient des textos comme s'ils

échangeaient des balles de ping-pong. Couples séparés par la distance, par le décalage horaire, qui nouent des baisers chaque matin et chaque soir dans des courriels tendres et érotiques. Mais que l'un vienne à manquer, débute alors une frustration impatiente. Pourquoi ? Comment ? Quelle main jalouse intercepte vos SMS qui sont des SOS ? Pourquoi la plus belle déclaration d'amour jamais envoyée sur le Net reste-t-elle sans réponse ? En ai-je trop fait ? Pas assez ? Quel mot manque, qu'elle attendait ? Quel mot est de trop, qui l'a agacée ou encolérée ? On se relit, dix fois, vingt fois, et l'on sent monter en soi, telle la marée, l'impatience du silence, de l'imagination torturée, du secret inaccessible, de la réponse qui ne vient pas et qui ne viendra peut-être jamais.

À propos…

Y a-t-il plus goujat que la rupture par mail ? Oui, les condoléances. Y a-t-il plus goujat que la rupture et les condoléances par mail ? Oui, par SMS.

> Incompétence

Impertinence

En 1970, Maurice Siegel, alors directeur d'Europe 1, eut l'idée de créer le matin, dans la procession des informations le plus souvent dramatiques ou alarmistes, et des éditoriaux politiques, une chronique gaie, légère, qui apporterait aux auditeurs trois ou quatre minutes de détente. Il me la confia parce qu'il appréciait dans *Le Figaro* et *Le Figaro littéraire* mes billets d'humour. On ne se creusa pas la tête pour trouver le titre : *Chronique pour sourire.*

Tous les matins, sauf pendant le week-end, j'étais en direct à l'antenne et, qu'il fasse soleil ou qu'il pleuve sur Paris ou dans mon cœur, je devais faire sourire les auditeurs entre huit heures et huit heures et demie. J'y suis le plus souvent parvenu puisque la rubrique m'a été confiée pendant quatre années et que je l'ai de moi-même abandonnée.

Outre l'obligation d'être divertissant, je devais choisir le sujet de la chronique dans l'actualité, qu'elle soit politique, sportive, mondaine, artistique, internationale, etc. Combien de fois, à minuit, la tête vide, je me suis couché en mettant le réveil à cinq heures, pariant sur une idée fraîche du petit matin ? À sept heures, je réveillais ma sainte femme pour qu'elle tape à la machine mes élucubrations jetées sur le papier.

Très vite, je me suis aperçu que c'était d'impertinence que les auditeurs avaient besoin. Montrer de l'irrévérence vis-à-vis des puissants et des idées à la mode. S'amuser des ridicules du moment, des tics de langage, des tentatives d'esbroufe, des manifestations d'autorité, des divagations de zozos ou de prophètes... Mais ce n'était qu'une impertinence modérée, des espiègleries, des bouffonneries, qui restaient de bon aloi, et qui, comparées à l'insolence radicale, à l'irrespect, à la méchanceté des chroniqueurs humoristiques et des imitateurs d'aujourd'hui, seraient considérées comme eau gazeuse et barbe à papa.

Pourtant, jugeant que j'allais trop loin dans mon « persiflage » à son égard, le président Georges Pompidou avait demandé mon éviction à la direction d'Europe 1. Je pris opportunément quinze jours de vacances. Un écho paru dans *Le Canard enchaîné* émettant des doutes sur mon retour à l'antenne, des lettres de soutien ou de protestation affluèrent à la station. En vérité, Maurice Siegel, Jean Gorini et Georges Leroy, le trio directionnel, n'avaient nullement l'intention de céder à l'exigence de censure de l'Élysée. D'accord avec eux, j'attendis une semaine pour prononcer de nouveau le nom de Georges Pompidou. Avec une certaine impertinence.

Incompétence

« Dans une hiérarchie, tout employé a tendance à s'élever à son niveau d'incompétence. » Cela s'appelle le « principe de Peter ». On en mesure le bien-fondé, on en apprécie la justesse tous les jours autour de nous, dans les entreprises publiques et privées, et s'il est un domaine où sa pertinence est éclatante, c'est bien évidemment dans la distribution des responsabilités politiques. Non que tout ministre soit incompétent. Comme tous les principes, celui de Peter admet quelques exceptions. Mais, en règle générale, si tout va toujours mal, c'est au nom de la lumineuse découverte de L.J. Peter, énoncée dès 1969 à New York, en 1970 en France. Il faut la redire parce qu'elle est la vérité même : « Dans une hiérarchie, tout employé a tendance à s'élever à son niveau d'incompétence. » Et son corollaire : « Le travail utile est toujours effectué par des individus qui n'ont pas encore atteint leur niveau d'incompétence. »

Le principe de Peter est resté gravé dans ma tête. Il est plus présent dans ce qui me tient lieu de conscience que les dix commandements de Dieu ou les dix-sept articles de la Déclaration des droits de l'homme et du citoyen. Ainsi, lorsque mon nom fut avancé pour prendre la direction d'une chaîne de télévision du service public, je refusai aussitôt. Sans prononcer le nom de Peter, qui est un gentleman discret et de toute façon inconnu de nos dirigeants, mais en avançant avec force et conviction que je ne possédais aucune des qualités qui auraient justifié la confiance qui m'était accordée. Que pour ce poste on ait songé à moi qui déteste le pouvoir, et plus encore les nombreuses et interminables réunions qui en sont le fatal accompagnement, n'était-ce pas la preuve que ceux qui en avaient eu l'idée étaient eux-mêmes des illustrations du principe de Peter ?

Je n'hésite jamais à invoquer mon incompétence pour refuser de participer à un débat ou de répondre à une interview. Le plus souvent, c'est vrai. Ou, si je ne me sens pas totalement étranger au sujet, je rétorque qu'il existe beaucoup d'autres personnes dont les lumières sur la question sont plus sûres et que leur présence serait plus souhaitable que la mienne. Rien n'est plus navrant que de se retrouver sur une tribune, sur un plateau ou dans un studio, avec l'impression que la conversation va justifier le regret de n'être pas resté chez soi.

Enseigne-t-on le principe de Peter aux énarques et aux normaliens ? On est en droit d'en douter. Peut-être est-il même préférable qu'ils restent dans l'ignorance de son existence. Où qu'ils soient, n'éprouvent-ils pas naturellement de la méfiance pour leurs inférieurs, soupçonnés de vouloir prendre leur place, et du mépris pour leurs supérieurs, qu'ils jugent inaptes à leurs fonctions, et qu'ils encouragent à en accepter de plus importantes pour s'installer dans leurs fauteuils ?

Pendant longtemps le principe de Peter a fonctionné à l'ancienneté. Par le jeu naturel des retraites et des promotions, il arrivait enfin, ce jour où l'employé, devenu cadre, occupait le poste où il allait désormais prouver son incompétence.

Le principe de Peter se manifeste à notre époque avec plus d'âpreté. On ambitionne ouvertement de monter le plus vite possible dans la hiérarchie. Question de standing et de salaire. L'époux ou l'épouse encourage le grimpeur. Le mieux est d'arriver à sauter plusieurs échelons jusqu'à celui où il pourra continuer de faire un travail utile, puis de parvenir au poste convoité, prestigieux, où son incompétence sera reconnue et bien rétribuée.

> Impatience

Jeudi

Bien que le jeudi fût le jour de repos des élèves, nous nous couchions, ce soir-là, harassés, le corps en souffrance. Nous avions disputé un match de football contre l'équipe d'un autre collège, lycée ou pensionnat, et, selon le résultat, notre fatigue était délicieuse ou pénible.

Le terrain caillouteux et légèrement en pente sur lequel nous recevions les équipes adverses se situait à Montessuy, à environ cinq kilomètres de mon pensionnat lyonnais. Nous nous y rendions à pied, en rangs par deux, coupant au plus court à travers la Croix-Rousse artisanale et commerçante. Il y a longtemps que la ville s'est étendue jusqu'à ce no man's land alors piqué d'un fort. S'y dressent maintenant des barres d'immeubles. À la mi-temps, nous apaisions notre soif avec un demi-citron. Le coupeur de citrons se faisait toujours un peu chambrer. C'était un membre de l'équipe qui ne jouait pas, soit parce qu'il était blessé, soit parce qu'il n'avait pas été retenu. J'ai plus souvent coupé les citrons que mes camarades Gérard Faye, élégant, calme et avisé défenseur, et Jean-Claude Jacquemet, le diable fait ailier droit. C'était il y a plus de soixante ans. L'existence ne nous a pas séparés.

Le retour au pensionnat Saint-Louis se faisait par les mêmes chemins de banlieue qu'à l'aller, puis les rues de la ville. Je ne me souviens que des cris, des rires, des chahuts de la victoire. Il est vrai que nous gagnions souvent. Aucune tristesse à l'idée de retrouver les hauts murs de l'internat et les élèves qui y étaient restés enfermés toute la journée. Car j'avais le sentiment que cette escapade que le football nous autorisait chaque jeudi était plus qu'un entracte dans notre vie de pensionnaires, beaucoup plus qu'une sortie avec des copains : une promesse pour l'avenir. Il suffisait donc de se débrouiller pas trop mal avec un ballon pour obtenir un peu de liberté. Il suffisait de marquer un but de plus que l'adversaire pour se sentir pénétrés de la conviction que nous étions du clan des élus. Allons ! le monde n'était pas aussi redoutable qu'on nous le disait. Nous saurions nous y faire notre place.

Je revenais du foot gonflé à bloc. Quitte, dès le lendemain, à piquer du nez dans le désenchantement pour une mauvaise note.

Un laïc, le professeur de mathématiques des grandes classes, M. Freyssenet, avait la responsabilité de l'équipe des cadets. Il y avait toujours un cours de maths, le vendredi. Les joueurs qui avaient marqué un but la veille, ou qui avaient brillé, échappaient à l'interrogation orale. Cette récompense somme toute justifiée n'était ni officielle ni même reconnue par le professeur. On était dans une tradition silencieuse. Les quelques fois où j'ai trompé le gardien adverse, je pensais, tout de suite après l'explosion de joie, que je pourrais faire l'impasse, le soir, sur la leçon. Mais, le plus souvent, je ne coupais pas à l'interro. Ce qui avait été stimulé en moi, les jeudis, par les matches était alors découragé, les vendredis, par les maths.

> Dimanche, Football

Jeunesse

Les grands romanciers ont eu une jeunesse très romanesque. J'aurais bien voulu devenir un grand romancier, mais comment faire, ma jeunesse ayant été calme et ordinaire ? Tous les jeunes gens dont les premières années ont été compliquées, sombres, originales ou aventureuses ne deviennent pas de bons écrivains. Mais observons que l'adversité ou la singularité dans les débuts de l'existence, ça aide, ça donne plus tard du talent à ceux qui ont choisi d'écrire.

Exemple : Marguerite Duras. Naître en Cochinchine d'une mère veuve d'un monsieur nommé Obscur, et d'un père qui s'appelle Donnadieu et qui meurt alors qu'elle n'a que sept ans, ce n'est pas de la chance dans une biographie d'écrivain ? Et cette mère grugée qui se fait refiler, au bord du Pacifique, contre vingt ans d'économies, des terres impropres à la culture du riz, ça n'est pas excellent pour le tonus revanchard, moral et artistique d'une adolescente ? Et avoir eu, encore mineure, des amants chinois, ça ne fouette pas le sang et la littérature ? Ah ! si j'avais passé mon enfance et mon adolescence en Indochine plutôt que dans le département du Rhône, quel écrivain eussé-je été !

Jean-Marie Gustave Le Clézio, lui, est né à Nice. Pas très original. De qui tient-il le vagabondage de ses pas et de son stylo ? D'une famille de Bretons établis à l'île Maurice ; de chercheurs d'or, d'ailleurs et de beauté ; d'un père résidant au Nigeria dont il fit la connaissance à l'âge de huit ans après un voyage de quatre semaines à bord du *Surabaya*. De l'ancre à l'encre, c'était fatal. Où, quand, comment aurais-je pu naviguer entre Saint-Symphorien-de-Lay, le village de mon père, et Quincié-en-Beaujolais, le village de ma mère, séparés, via Lyon, par le très modeste col du Pin-Bouchain et, via Thizy, par le col touristique des Écharmeaux ? Du nomadisme dans un mouchoir ! De la bougeotte cantonale ! On embarquait, mais c'était pour une partie de pêche sur la Saône. Où étaient-ils, les Mauriciens, les Africains, les Indiens qui m'auraient jeté dans le roulis et le tangage du roman ?

Et comment ne pas envier le jeune Patrick Modiano, solitaire, mal aimé ? Une mère flamande arrivée à Paris, en 1941, dans les bagages des Allemands. Un père juif recherché par la police qui faisait des affaires louches avant, pendant et après la guerre. Du nanan pour un futur écrivain ! Alors que moi, pauvre de moi, je n'étais que l'enfant très aimé de deux petits Français qui descendaient l'un et l'autre de familles de paysans, même pas des lisières, mais du centre du pays… Le terroir et le cocon familial ne poussent pas au romanesque. D'une jeunesse sans histoire ne sort rien de bon pour la littérature.

> Fleuves, Géographie

Kiosque

Les oiseaux des parcs s'habituent à la longue à la concurrence des kiosques à musique. Ils s'arrêtent de chanter pendant que l'orchestre joue. Écoutent-ils ? Sont-ils séduits ou choqués par des sons qui n'appartiennent pas à leur répertoire ? Sont-ils jaloux des applaudissements qui ne ponctuent jamais leurs récitals ?

Dans un kiosque de Vichy, un orchestre de femmes jouait des valses de Strauss. J'étais sous le charme. Je partis avant la fin du concert parce que j'avais rendez-vous à la terrasse d'un hôtel avec Jules Romains pour l'une de ces interviews d'été qu'aimait publier *Le Figaro littéraire*. Nous évoquâmes les villes auvergnates d'Ambert et d'Issoire où sept champions du canular fichent une réjouissante pagaïe (*Les Copains*). Pourtant très atténuée, la musique parvenait à nos oreilles. Jules Romains en conçut de l'irritation. Du coup, mon admiration pour l'écrivain, surtout pour l'auteur des *Copains* et de *Knock*, baissa d'une octave.

Aux kiosques à musique je préfère cependant les kiosques à journaux. Dans aucun autre lieu ouvert au public je ne me rends deux fois par jour, le matin et au début de l'après-midi. Cela crée des liens avec le dépositaire et vendeur. Habitué à ses gestes, à sa conversation, je suis un peu triste quand il est appelé à quitter « mon » kiosque pour un autre où il fera plus de chiffre d'affaires.

Je ne me lasse jamais de regarder les couvertures des magazines, la diversité des titres, des sujets, des accroches, des illustrations. Neuf fois sur dix, c'est une femme qui est chargée de séduire la clientèle. Le kiosque est le seul endroit où les femmes marquent une supériorité écrasante sur les hommes. On ne m'entendra pas m'en plaindre. En revanche, elles font rarement la une des quotidiens, remplis du vacarme des batailles politiques, économiques et sociales, quand ce n'est pas du bruit de la guerre. Les femmes des magazines apportent de la douceur dans un monde de brutes. Le kiosque est trompeur. Dans le tumulte de la ville, les kiosques sont des haltes pour rêveurs et utopistes.

Lecture (1)

Il en est de la lecture comme de l'amour : les positions sont nombreuses. La position du missionnaire consiste pour un prêtre ou un laïc à lire un livre, le plus souvent l'Évangile et les Épîtres, debout, face aux fidèles. La position du mollah est la même que celle du missionnaire, mais avec des variantes, par exemple assis sur ses jambes repliées. Le Coran lui arrache des intonations rauques, d'une épaisse jouissance, plus marquées que celles du prêtre, héritier de la discrétion monastique.

Certains couples lisent au lit, puis mettent un marque-page, referment le livre, éteignent et font l'amour. Le chemin inverse est plus rare, sauf cas d'insomnie due au tumulte de sens qui n'ont pas été totalement apaisés et que l'on va distraire avec les mots d'un tiers après avoir rallumé la lampe de chevet.

Il faut recommander la lecture des romans au lit. C'est le genre le plus excitant. Par chance l'on peut tomber sur une page un peu leste ou franchement érotique. Mais, le plus souvent, tout n'est que noirceur, chagrin, déconvenue, fâcherie, rupture, deuil, abandon, ressentiment, vengeance, crime, détresse, catastrophe, malheur. Le moelleux du lit permet cependant de relativiser l'affliction dont sont frappés les personnages. Le lecteur ou la lectrice, le dos bien tenu par un ou plusieurs oreillers, éprouve même le désir soudain de se couler dans les bras de l'autre, soit pour se rassurer sur l'état du monde, qui n'est pas aussi sombre que le dépeint le romancier, soit pour marquer sa bienheureuse supériorité sur ses créatures vouées à la solitude et à la déprime.

Les romans sont surtout lus par les femmes. Les amoureuses en raffolent. Comment font les hommes dans les mains desquels le corps d'une femme prend la place, en quelques secondes, d'un livre sur le marketing ou d'un récit de la seconde guerre mondiale ?

Je ne lis jamais au lit. On y est mal assis, le corps glisse insensiblement, la lumière est insuffisante. Il faut se relever pour se munir du crayon ou du stylo qu'on croyait sur la table de chevet mais qui n'y est plus. On s'endort sur un chapitre barbant ; et quand l'auteur sait introduire ses mots jusqu'au plus profond de votre tête ou de votre cœur, ils y restent et vous empêchent de trouver le sommeil, à moins qu'au cours de la nuit lesdits mots ne s'éveillent, s'agitent, se rassemblent et s'organisent pour former un cauchemar.

Dans mes manières de lire je suis sans fantaisie. Jamais dans la baignoire, ni aux toilettes. Et pas davantage allongé sur la moquette ou sur le sable de la plage. Pas non plus couché dans un hamac, ou allongé sur le côté dans un pré, la tête dans une main, ou encore assis en tailleur sur une pelouse.

Je ne sais lire qu'assis sur une chaise, dans un fauteuil ou sur un canapé. Encore faut-il que celui-ci ne favorise pas l'avachissement. Le corps bien calé, sur du dur, de préférence devant un bureau ou une table pour prendre des notes, voilà ma meilleure position pour lire. Les sièges de voiture, d'autobus, de métro, de train, d'avion me conviennent parfaitement. La vitesse emporte aussi l'écrivain avec ses personnages, ses souvenirs, ses idées. Que je l'aie convié, à son insu, à m'accompagner pendant mon voyage prouve ma confiance dans sa capacité à m'instruire, à me divertir ou à me faire rêver. Le transport lui ajoute du romanesque et de l'exotisme. Gare à lui, cependant, s'il me déçoit ! Un mauvais compagnon de route est moins excusable qu'un médiocre invité à domicile, que l'on congédie au premier bâillement.

« Pour écrire un roman (...) il faut surtout de bonnes fesses, prétend Dany Laferrière, car c'est un métier comme celui de couturière où l'on reste assis longtemps » (*L'Énigme du retour)*. Il en est de même pour le lecteur professionnel. J'ai la chance d'avoir de bonnes fesses.

Lecture (2)

Ma méthode de lecture telle qu'elle s'est forgée au rythme hebdomadaire de mes émissions n'est pas à donner en exemple. Elle ne vaut que pour moi. Elle est le résultat de l'adaptation de mes facultés à la lecture des nombreux livres qu'imposait l'animation, chaque vendredi soir, d'*Apostrophes*, puis de *Bouillon de culture*. En gros, je devais me montrer efficace tout en entretenant le plaisir de lire. J'y parvenais ainsi :

• Lecture d'un seul livre dans la continuité, autrement dit pas de livres en alternance.

• Ne pas hésiter à abandonner la lecture d'un ouvrage jugé médiocre, décevant, inutile…

• Lire assis sur une chaise ou dans un fauteuil qui tient le corps (> Lecture, 1), de préférence devant un bureau ou une table.

• Avoir un crayon ou un stylo toujours à portée de main.

• Pas d'alcool pendant les heures de lecture. Cigare ? Oui, avec plaisir.

• Pas d'accompagnement musical.

• Téléphone le plus silencieux possible.

• Pas de méthode de lecture rapide. Sinon, comment juger le style ?

• La lecture du matin étant toujours la meilleure, la réserver aux ouvrages difficiles.

• Se méfier de son humeur. Selon qu'elle est bonne ou méchante, les livres peuvent en bénéficier ou en souffrir.

• Après lecture d'un livre très séduisant, attendre au moins une heure – si possible laisser passer une nuit – avant d'en commencer un autre afin que celui-ci ne pâtisse pas de l'impression encore très forte laissée par le précédent.

Lecture d'un livre dont j'avais invité l'auteur à l'émission :

• Procéder comme on me l'a appris à l'école communale de Quincié-en-Beaujolais : lire entièrement l'ouvrage en commençant par le début et en finissant par la fin.

• Résister à la tentation de sauter les descriptions, les

digressions, les incidentes, les parenthèses, car c'est souvent là que l'on déniche matière à poser les questions les plus originales ou les moins attendues.

• Souligner les passages essentiels, les phrases remarquables ou malheureuses ; mettre une croix en haut des pages à relire pendant la préparation de l'émission ; tracer des traits dans la marge en face de paragraphes représentatifs de l'écriture ou de la pensée de l'auteur.

• Entourer les mots savants, bizarres, amusants, anciens, nouveaux… et, s'il le faut, consulter un dictionnaire.

• Sur une feuille volante ou sur l'une des pages blanches situées à la fin du volume, écrire les observations et les réflexions nées au cours de la lecture. Noter déjà les questions auxquelles l'écrivain n'échappera pas.

• Noter aussi les correspondances avec les ouvrages des autres auteurs invités. Sur quoi ils s'opposent, sur quoi leurs sensibilités ou leurs analyses les rapprochent.

• Enfin, le livre lu et refermé, lui consacrer dix minutes de réflexion pour en laisser la quintessence pénétrer la mémoire et y allumer quelques lueurs qui, peut-être, pendant l'émission, éclaireront la jugeote de l'animateur.

Lecture (3)

Proust et Tolstoï sont les écrivains les plus redevables au corps médical. Quand une convalescence s'annonce longue, on se dit que c'est l'occasion ou jamais de lire la *Recherche* ou *Guerre et Paix*. Ces deux œuvres ont partie liée avec la chirurgie lourde et les virus les moins aimables. Lorsqu'un inspecteur de la Sécurité sociale remarque la présence de Proust ou de Tolstoï sur la table de chevet ou du salon de l'assuré, il sait d'expérience qu'il ne triche pas, mais que son arrêt maladie risque de ne se terminer qu'à la fin d'une lecture que le convalescent voudra mener jusqu'au bout.

À condition d'être seul dans une cellule, un séjour en prison peut être utilisé comme session de rattrapage de lecture. Quand les peines infligées sont courtes, les juges devraient demander aux condamnés quels livres, quels auteurs ils ont l'intention de lire derrière les barreaux et adapter la peine au temps de lecture supposé. Deux mois pour Sagan, six mois pour Camus, un an pour Sartre. Il est nécessaire que les prisons aient des bibliothèques fournies et bien tenues.

Jean-Jacques Brochier, qui fut le rédacteur en chef du *Magazine littéraire* pendant trente-cinq ans, a commencé sa vie publique dans une prison lyonnaise. Il avait porté des valises du FLN. Il évoquait sans rancœur ni tristesse son enfermement. Il lui avait permis de lire à satiété, en particulier les livres que les éditeurs lui avaient envoyés gratuitement en tant que prisonnier politique. Gallimard lui avait fourni des ouvrages de Jean-Paul Sartre qu'il n'avait pas encore lus.

Nous étions ensemble dans la même classe de philo, au lycée Ampère, et, déjà, Brochier nous éblouissait et nous fatiguait avec ses incessantes références à *L'Être et le Néant*. Il était le seul élève à avoir lu et compris ce pavé philosophique.

De son séjour dans les prisons polonaises après le coup d'État du général Jaruzelski, le 13 décembre 1981, et l'interdiction de Solidarnosc, Bronislaw Geremek retira un « grand enrichissement culturel ». Grâce aux lectures qu'il eut le loisir de faire. « Relire en prison l'analyse par Michel Foucault de l'univers carcéral (*Surveiller et punir*) a été pour moi une expérience absolument extraordinaire. J'étais amené par les circonstances, en effet, à me poser des questions qui ne me seraient jamais venues à l'esprit si je l'avais simplement lue dans un cadre universitaire, comme l'importance de l'architecture dans le sentiment de réclusion, ou comme le rôle de ce sentiment dans l'accomplissement de la peine. »

Geremek profita de la prison pour améliorer sa connaissance de l'italien. Il prit tout son temps pour lire et savourer, dans l'édition originale, *Le Nom de la rose*, d'Umberto Eco, plongée romanesque dans le Moyen Âge, époque dont il était l'un des historiens les plus érudits.

Sade, Dostoïevski, O. Henry, Verlaine, Wilde, Genet, Soljenitsyne, etc. Il faudrait faire un essai sur les livres lus par les écrivains durant leur internement en prison ou dans des camps, et l'influence de ces lectures sur leurs œuvres.

À propos…

Le père et la fille ne s'étaient pas vus de toute la guerre. « Quel livre lis-tu en ce moment ? » fut la première question que Malraux posa à Florence, douze ans.

Lecture (4)

Adolescent, j'éprouvais du plaisir à lire à haute voix, en public, et je lisais bien. Au pensionnat Saint-Louis, nous étions deux élèves de cinquième, puis de quatrième, à avoir été choisis pour lire à nos camarades des romans d'aventures. Cela se passait au réfectoire, pendant le déjeuner. Il fallait arrêter la lecture à un moment du récit où l'action rebondissait, quand le héros était en mauvaise posture et que le suspense était palpitant. Ainsi recréions-nous oralement les conditions du feuilleton populaire dans la presse quotidienne d'autrefois.

Plusieurs fois j'eus l'occasion d'échanger des confidences sur ce qui allait se passer le lendemain contre du chocolat ou du pain d'épices. Je découvris longtemps avant d'entrer dans la presse que des personnes sont prêtes à payer le droit et la jouissance de connaître une information avant les autres. « Quoi ? C'est tout ! s'exclamaient parfois mes camarades, déçus à l'écoute de mes révélations. Rends-moi mon chocolat. » Il n'en était pas question. Demande-t-on le remboursement d'un journal ?

Nous lisions, choisis par le surveillant général, des romans de cow-boys et de gauchos qui finissaient toujours par vaincre des bandits sans morale, sans éducation, sans Dieu. Les grandes vacances interrompirent la lecture des *Trois Mousquetaires,* commencée trop tard. Peut-être était-ce à dessein, pour que les pensionnaires, de retour chez leurs parents, éprouvent l'envie de continuer ?

Dans *Une histoire de la lecture*, Alberto Manguel raconte qu'à Cuba, au milieu du XIXe siècle, dans la manufacture de tabac El Figaro, un *lector* lisait aux ouvriers, la plupart analphabètes, des romans. Cela ne nuisait pas à leur productivité et ils en retiraient assez de plaisir pour rémunérer eux-mêmes le préposé à la lecture. Mais, devant le succès – d'autres manufactures imitèrent vite El Figaro –, craignant que la subversion ne se glissât par ce subtil stratagème, le gouverneur de Cuba interdit de « distraire » ainsi les ouvriers.

Plus tard, des cigariers émigrèrent aux États-Unis et reprirent l'usage du *lector. Le Comte de Monte-Cristo* fit un tabac. « Un groupe d'ouvriers écrivit à Alexandre Dumas pour lui demander l'autorisation de donner le nom de son héros à l'un de leurs cigares. » Dumas répondit favorablement. Alberto Manguel ne dit pas si l'écrivain eut ensuite l'occasion de fumer des Montecristo.

Lecture (5)

En prenant de l'âge, on ne lit plus avec le même sang-froid les romans qui racontent des histoires d'amour et de famille. Car il arrive souvent qu'ils évoquent des personnages, des situations, des moments de bonheur, des drames que nous n'avons pas vécus comme ils sont narrés dans la fiction, mais qui se rapprochent par-ci par-là de ce que nous avons gardé en mémoire.

On se dit qu'on a été soi-même aussi fou d'amour que cet homme généreux, naïf, impatient, infernal, et l'on voudrait lui conseiller de réfléchir un peu, de ne pas se laisser emporter par sa passion soudaine, de tempérer ses ardeurs. Mais, rappelle-toi, c'est précisément cette furia du cœur et des sens que décrit si bien le romancier qui, pendant un temps trop court, a bouleversé et enchanté ta vie. Et quand arrivent les jours et nuits des désillusions, des désamours, comment ne pas comparer les chagrins du héros avec les tiens il y a quarante, vingt-cinq, dix ou deux ans ? Et si c'est l'homme qui, après des contorsions, des esquives, et pour finir la fuite, se libère des liens qui lui avaient paru, fut un temps, si doux, comment ne suspendrais-tu pas ta lecture pour te souvenir du type assez mufle que tu as été ?

Il n'y pas deux histoires d'amour identiques, mais la réalité et la fiction, elle-même souvent alimentée par la réalité, se croisent, s'interpénètrent, se copient, se ressemblent, s'opposent, se frôlent, se renvoient des échos. Ici, c'est une réplique ou une réflexion d'un personnage qui nous évoque une parole que nous avons dite ou entendue au cours d'une relation amoureuse. Là, c'est le commentaire de l'écrivain à propos de la séduction, du mariage, des enfants, de l'adultère, du divorce, ou d'autres épisodes plus rares ou plus intimes sur lesquels l'écrivain lâche une phrase de moraliste qui résonne en nous, soit pour y adhérer, soit pour la contester.

Il n'y a pas deux histoires de familles recomposées qui sont les mêmes. Mais le lecteur ne passe pas au chapitre suivant. Il s'arrête un instant sur ce méli-mélo d'amours entortillées, d'orgueils froissés, de jalousies à retardement, de revanches stratégiques qui lui rappellent, même très éloignées dans leur nature et leur déroulement, des batailles qu'il mena autrefois. Ces maladresses, ces imprudences, ces entêtements, ces brouilles, ces réconciliations... Rien n'est pareil, tout est pareil. Il introduit son roman dans le roman de l'écrivain. Lui revient en mémoire un peu de cette agitation, de ces brûlures, de tous ces sentiments qui accompagnèrent la rupture et la refondation avec enfants nés et à naître. Le roman est devenu pour lui un miroir dans lequel il cherche son image d'autrefois. Mélancolique ou amusé, il passe enfin au chapitre suivant.

Plus je vieillis, plus mes haltes dans les romans d'amour sont nombreuses. Elles ne sont pas toujours agréables ou réconfortantes. « La littérature sérieuse ? Elle n'est pas là pour nous faciliter la vie, mais bien pour nous la compliquer » (Witold Gombrowicz, *Journal*, t. 1, 1953-1958).

Libellule

La libellule, appelée aussi « demoiselle », est un insecte élégant, nerveux et fragile. Elle est munie de quatre ailes diaphanes. Le mot qui la nomme est magnifique. Tout de grâce, de légèreté. Il possède lui aussi quatre *l*. Ainsi la libellule est-elle une symbiose parfaite de la nature et de la langue, de la biologie et de l'orthographe.

> Hippopotame, Rhinocéros

Lire

C'était le mariage de la carpe et du lapin, disait la rumeur parisienne. Qui était la carpe ? Qui le lapin ? Jean-Louis Servan-Schreiber ? Ou moi ? *Le Monde* ayant annoncé en trois lignes mon départ du *Figaro*, il me téléphona, dès le lendemain, pour me rencontrer et me proposer la création d'une revue mensuelle sur les livres et la lecture. J'animais *Ouvrez les guillemets*. C'était donc avant que je ne lance *Apostrophes*. La presse écrite exige de la réflexion, beaucoup de temps. Tenir le premier exemplaire de *Lire* entre mes mains fut l'une des fiertés de ma vie professionnelle. Nous étions en octobre 1975 et *Apostrophes* existait déjà depuis dix mois.

Cela n'a évidemment pas nui au lancement de la revue, même si je me suis toujours refusé à me servir de mon émission pour, de quelque manière que ce fût, faire la promotion de *Lire*.

Jean-Louis et moi étions si différents que soit nous ne parviendrions pas à nous supporter et nous courrions au désastre, soit nous étions à ce point complémentaires que l'efficacité et la réussite en seraient le résultat. Les optimistes ont eu raison.

Jean-Louis était précis, réfléchi, méthodique, très organisé, économe de son temps, sûr de lui, parfois pète-sec, et d'un calme si maîtrisé qu'il pouvait faire perdre le sien à son interlocuteur. Comme les bons joueurs d'échecs, il avait toujours deux ou trois coups d'avance – ce qui ne signifie pas que tous ses coups étaient gagnants. Le directeur de *L'Expansion* était un athlète complet de la presse : rédaction, publicité, imprimerie, fabrication, promotion, marketing, vente, gestion. Quant à moi, mon savoir-faire se limitait à la rédaction. Il aurait pu inventer et lancer *Lire* avec un autre journaliste spécialisé dans les livres. Sans lui, j'aurais été incapable de mener à bien un projet aussi aventureux.

C'était justement le risque, financier pour JLSS, pour moi d'image, qui m'attirait. Comment refuser de se colleter aux périls du lancement d'un nouveau titre de la presse écrite ? À la plupart des journalistes cette occasion n'est jamais offerte. Me dérober eût été une preuve de frilosité.

L'autre raison qui me poussait à accepter la proposition de Jean-Louis Servan-Schreiber était sa personnalité, pour moi étrange. À trente-neuf ans, je n'avais encore jamais rencontré un vrai *manager,* de deux ans mon cadet. Avec son ambition, son strict mode de vie, sa rigueur, ses certitudes, ses principes, ses codes, sa volonté permanente tournée vers la réussite. Le frère de Jean-Jacques ! Un membre éminent de la famille Servan-Schreiber ! Moi, avec ma bonne humeur, mon épicurisme, mon désordre pas toujours domestiqué, mes doutes, mes fantaisies, mes rêveries, je devais apparaître à ses yeux comme un personnage aussi singulier qu'il l'était aux miens. Mais il appréciait mon sérieux et mon application au travail. L'un et l'autre étions efficaces. Et ce qui emporta mon adhésion à sa personne, c'était que, contrairement à sa réputation, il savait rire et faire rire. On ne se tapait pas sur le ventre, oh ! là, non, mais l'on pouvait avoir ensemble, de temps en temps, des moments de gaieté. De ce point de vue, il ne ressemblait pas à JJSS qui, lorsque j'arrivai, un samedi matin, chez lui, pour l'interviewer, me dit : « Évitez de me poser des questions qui demandent de l'humour. Je n'en ai aucun. »

J'ai dirigé pendant dix-huit ans la rédaction de *Lire*, Pierre Boncenne en ayant été, sauf au tout début et à la fin de mon règne, l'incomparable rédacteur en chef. Puis Pierre Assouline m'a succédé. C'est ensuite François Busnel qui a pris le relais. Ils ont l'un et l'autre fait évoluer la formule de *Lire* et marqué la revue de leur personnalité. La revue existe avec succès depuis trente-cinq ans. Elle a été vendue par Jean-Louis Servan-Schreiber au groupe Express en 1983.

À propos…

J'éprouve une indéfectible admiration et amitié pour Gaëtan Burrus, François Dufour et Jérôme Saltet qui ont eu l'audace de lancer – avec succès – trois journaux pour les enfants et les adolescents : *Le petit quotidien*, *Mon quotidien*, *L'actu.*

Litchi

Nom chinois d'un fruit exotique que certains apprécient frais ou en sirop, et que je préfère en glace. Du temps d'André Gide, les litchis étaient rares. L'écrivain en raffolait. Il les appelait « les couilles d'anges ».

Lourd

« Envoyer du lourd » est une expression à la mode chez les jeunes. Elle est excellente. Elle signifie mettre le paquet, employer les grands moyens : « La police a envoyé du lourd. » Mais c'est dans son sens figuré que l'expression est particulièrement significative. Le *lourd* qui est envoyé, ce sont des discours, des arguments, des éloges, des critiques, des insultes, etc. « Pour le faire taire, elle lui a envoyé du lourd… »

Lunettes

C'est probablement un Florentin ou un Vénitien qui inventa les lunettes, mais les historiens ne sont pas d'accord sur son identité. Quel qu'il fût, il mérite notre gratitude, et nous espérons que, depuis sept siècles, il les porte au Paradis.

Selon Alberto Manguel, les premières lunettes apparues sur un tableau sont celles d'un cardinal de Provence, Hugo de Saint-Cher, son portrait ayant été peint en 1352 par Tommaso da Modena. Le cardinal est à sa table de travail. Il écrit. « Ses lunettes, appelées "lunettes à rivets", consistent en deux lentilles rondes entourées de montures épaisses et fixées au-dessus de l'arête du nez, de telle façon qu'on pouvait en régler la pression » (*Une histoire de la lecture*).

Quand j'ai dû me résoudre à porter des lunettes pour lire – mes bras n'étant plus assez longs pour éloigner le livre de mes cristallins fatigués –, j'étais très agacé. Je n'ai jamais glissé à mes doigts chevalière, alliance ou bague, un phénomène de rejet se produisant aussitôt, comme s'il y avait une incompatibilité entre le métal et ma peau. Mon nez, mes tempes, mes oreilles manifestèrent la même intolérance envers les lunettes. Mais je n'avais pas le choix. J'optai pour des demi-lunes qu'il était commode d'enlever rapidement du nez et d'y remettre quand l'exigeait la lecture ou l'écriture.

Ces demi-lunes devinrent célèbres. De ce modèle il se vendit des milliers d'exemplaires. C'était mon « petit quelque chose en plus » (> Chose). L'objet auquel mon image était désormais attachée. Plus aucun caricaturiste ne me représentait sans ma prothèse un peu folle. Car, pendant toutes les émissions, mes lunettes ôtées, remises, enlevées, chaussées, retirées, reprises, suivant au bout de mes doigts les arabesques de mes gestes spontanés et nombreux, n'étaient jamais au repos et dessinaient sur l'écran une géométrie aussi anarchique qu'amusante. Et quand, parfois, après une lecture de quelques lignes, je gardais les demi-lunes sur le bout de mon nez, regardant mes invités par-dessus, cela me donnait un petit air inquisitorial dont je n'avais pas conscience et qui réjouissait les téléspectateurs.

Un soir, au cours d'un match de football, je ne vis pas la main d'un défenseur dans la surface de réparation, ni, quelques minutes après, un tirage de maillot dans la surface adverse. L'ophtalmologue me dit que mon avenir dans les tribunes des stades passait par des verres correcteurs. Adieu, demi-lunes ! J'entrai dans la catégorie des hommes à double foyer.

À propos…

De Jean Dutourd j'ai reçu du temps d'*Apostrophes* une lettre dont l'enveloppe était ainsi libellée :

> *« Près des Ternes, 7 avenue*
> *Niel, 17e, à Paris*
> *Monsieur Pivot s'use la vue*
> *À bouquiner sous ses lambris. »*

Macho

Dans les années cinquante et soixante, employait-on le mot *macho* ? Je ne crois pas. Je l'étais un peu, comme tous les hommes de ma génération. Mais, marié à une femme qui travaillait, comme moi journaliste, j'étais moins enclin à montrer la supériorité sociale de l'homme que ceux qui avaient épousé une femme au foyer et l'y maintenaient en lui faisant des enfants.

N'étant pas professionnellement un homme de pouvoir, redoutant même son exercice, je n'étais pas porté à prendre au domicile conjugal des décisions unilatérales. J'avais le conjungo démocratique. Et même accommodant.

Quand les mouvements féministes dénoncèrent le sexisme, la phallocratie, le machisme, je me dis que les femmes n'avaient pas tort, même si certaines, avec une rage de fouisseuses, voulaient déraciner le phallus comme on déracine un totem. Dans mes chroniques du *Point* et d'Europe 1, je m'amusais des excès de ces viragos. N'empêche que, désormais, je surveillais mes paroles et mes actes pour ne pas me conduire en macho. Je ne le suis pas ou ne le suis plus depuis longtemps. Mais ai-je eu raison ?

Beaucoup de femmes adorent les machos, ces mecs qui décident pour elles, qui portent beau l'égoïsme du mâle, qui considèrent que la virilité leur donne droit à des privilèges, qui ne s'embarrassent pas d'une galanterie jugée surannée pour affirmer leur autorité. Avec ces hommes-là elles se sentent en confiance. Il ne leur déplaît pas d'être à l'occasion leurs servantes pour être mieux leurs maîtresses. Elles se retrouvent avec volupté dans une tradition biblique de la femme.

Je me souviens d'une belle personne qui, au retour de notre première promenade, s'agenouilla pour me retirer mes chaussures. Malgré mes protestations et les dérobades de mes pieds, elle y parvint. Je lui dis de ne jamais refaire cela qui me gênait, même si c'était agréable. Elle recommença. Elle n'aimait pas que je l'aide à mettre ou à desservir la table du petit-déjeuner. Elle préférait que je lise ou que j'écoute de la musique pendant qu'elle s'activait. À mon corps défendant, je me comportais comme un petit roi macho. Elle y prenait un certain plaisir de « femelle », c'est elle qui employait le mot. Je l'en privais quand, me rebellant, je m'efforçais de l'aider.

Bientôt, je m'avisai que le retrait des chaussures était une invite à de plus substantiels dépouillements…

Madré, ée

D'un bois dont on voit les veines, les taches, on dit qu'il est *madré*. On dit de même d'une personne d'apparence sincère qui est capable de ruse, d'airs changeants, de fines astuces.

Un paysan madré, donc très malin. Un joueur de poker madré.

> *« Un Renard jeune encor, quoique des plus madrés… »*
> La Fontaine, *Le Renard, le Loup et le Cheval*

L'adjectif *matois, oise* signifie lui aussi que, sous la bonhomie, se cache la rouerie, la duplicité. Pour La Fontaine, le renard est un animal madré ou matois.

> *« Aux traces de son sang, un vieux hôte des bois,*
> *Renard fin, subtil, et matois… »*
> *Le Renard, les Mouches et le Hérisson*

> *« Mais d'où vient qu'au Renard Ésope accorde un point ?*
> *C'est d'exceller en tours pleins de matoiserie. »*
> *Le Loup et le Renard*

La supériorité de François Mitterrand sur tous ses alliés et adversaires politiques venait de ce qu'il savait, avec un talent très sûr, se montrer madré ou matois.

> Chafouin

Main

Nous sommes passés d'une civilisation de la main à une civilisation du doigt. L'index, aidé du pouce, a pris le pouvoir. C'est lui qui règne sur les codes et les claviers. Codes bancaires, codes téléphoniques, codes d'entrée, touches du portable et du fixe, des iPhone et des BlackBerry, de l'ordinateur, de la télécommande, des jeux vidéo, du radio-réveil, du four à micro-ondes, de la cuisinière, des robots ménagers, du GPS… le bouton triomphe. L'acné pullule.

Comme tout le monde, je bénéficie du progrès technique et ne m'en plaindrai pas. Mais comment ne pas regretter que la main tout entière soit de moins en moins associée à nos gestes quotidiens ? Elle ne prend plus, ne serre plus, ne tourne plus, ne pousse plus. Les mains ne sont plus aux manettes. Les mains sont à l'index.

Il est à craindre qu'elles ne perdent bientôt l'usage du livre. L'une le tient, l'autre en tourne les pages. Ainsi un livre bien en main est le premier plaisir de la lecture. Quand celle-ci est barbante, on dit que le livre nous tombe des mains. Le livre électronique, lui, sera posé sur une table ou sur nos genoux. Mais ce sera encore au profit de l'index, le traître, ce doigt, parfois légèrement humecté, qui tournait la page, la tourne encore, et qui, demain, aujourd'hui déjà, tape sur des touches ou glisse sur des écrans.

Les nouvelles générations ne connaissent plus cet autre très vieux plaisir duquel sont nés tant de chefs-d'œuvre : l'écriture à la main. Tandis que je trace ces mots, ma main droite glisse sur le papier. J'en éprouve le lissé qui, si je caresse la feuille, laisse apparaître un infime grain. Bonheur de la peau et de la chair. Ça n'est pas rien, oh ! non, la sensualité de la main qui écrit.

Le stylo ? Serviteur ! Il m'obéit au doigt et à l'œil. Il avance, il s'arrête, il se retire, il revient, il rature, il biffe, il voyage au-dessus des lignes, il ponctue ici, il corrige là, il retourne à la phrase, il écrit… C'est un furet, c'est un lézard. Avec la main, les lettres qui constituent les mots sont liées ; sur l'ordinateur, les lettres ne sont jamais en contact les unes avec les autres. J'écris le mot *amour* : les lettres sont unies, mariées, fusionnées. Si je tape le mot *amour*, les lettres ne se touchent pas.

Je suis pour une écriture charnelle de la main.

> Sensualité

Maquisard

Quand des voitures de maquisards passaient devant l'école à l'heure des récréations, nous étions fascinés par leur audace. L'un d'eux était couché sur le garde-boue et le marche-pied de la onze-chevaux Citroën noire, le fusil pointé vers l'avant. Nous les acclamions comme s'ils avaient déjà libéré la France.

C'étaient des FTP (Francs-tireurs et partisans), mais nous les désignions sous le beau nom de *maquisards*.

Les forêts des montagnes du haut Beaujolais et les vallées escarpées de la haute Azergues abritaient de nombreux groupes de rebelles qui n'hésitaient pas à descendre dans la plaine pour saboter les voies ferrées et faire exploser des wagons de matériel. À la fin de 1943, et surtout en 1944, jusqu'à la Libération, en septembre, les Allemands se portèrent à l'attaque de ces maquis. Batailles sanglantes, arrestations, exécutions, bombardements, guets-apens, coups de force, représailles... Quincié, mon village, était au cœur de ces combats de plus en plus insurrectionnels. Par exemple, sur la route qui mène à Beaujeu, le 26 juillet 1944, à deux heures de l'après-midi, une colonne de quatre officiers et de vingt-trois soldats allemands a été presque anéantie au bazooka. Au pont des Samsons, une stèle perpétue la mémoire de « six patriotes FTPF » tués ici même les armes à la main.

Une fin d'après-midi, alors que beaucoup de femmes et d'enfants étaient réunis à l'église pour la prière – en faveur des prisonniers de guerre de la commune, dont mon père –, les Allemands firent irruption dans le village. Aux bruits des armes à feu, des ordres des officiers, des cris des soldats, s'ajouta bientôt le ronflement d'un gigantesque incendie. Ils avaient mis le feu à l'hôtel situé en face de l'église. Pendant qu'ils visitaient les maisons pour y arrêter des réfractaires aux Chantiers de jeunesse ou au STO (Service du travail obligatoire, en Allemagne) – ils emmenèrent deux jeunes gens qui furent fusillés quelque temps après –, nous nous étions réfugiés, apeurés, terrorisés, derrière l'autel. Le massacre d'Oradour-sur-Glane avait déjà eu lieu, mais nous n'en avions heureusement pas eu connaissance. Les femmes les plus pieuses prétendirent que si aucun soldat allemand n'entra dans l'église, ce fut grâce à la ferveur de nos prières.

Un soir de l'automne 1943, deux voitures de la police allemande pénétrèrent vers vingt-deux heures dans la cour de la ferme sur laquelle donnait la fenêtre du petit appartement où nous vivions, maman, mon frère et moi. En face se dressait la maison d'Henri et de Marcelle Descombes, des amis qui étaient de notre famille comme nous étions de la leur. Lui, prisonnier de guerre, s'était évadé. Arrivé au printemps, il avait repris son travail de vigneron comme si de rien n'était. Les vendanges et le pressurage étaient terminés depuis plusieurs jours. Un salaud l'ayant dénoncé, les occupants venaient le refaire prisonnier. Ce soir-là, lui et sa femme étaient sortis.

Ma mère ne parvint pas à convaincre l'officier allemand qu'il ne se cachait pas. Ils embarquèrent la mère d'Henri Descombes et le commis de la ferme. Ils les relâcheraient si le fuyard se présentait le lendemain à la prison de Montluc, à Lyon. Ce qu'il fit.

Je n'étais qu'un petit garçon de huit ans et je dormais déjà quand tout cela eut lieu dans la cour où je jouais d'habitude au ballon.

La guerre finie, je constatai que, si j'avais souvent croisé des maquisards, je n'avais jamais vu un soldat allemand.

Pourtant, deux fois au moins, ils avaient accompli de sinistres besognes à quelques mètres de moi.

Cela augurait mal d'une carrière de journaliste informé, avisé, qui voit tout et sait tout.

À propos…

Le 29 mai 1985, j'étais parmi les soixante mille spectateurs réunis au stade du Heysel, à Bruxelles, pour assister à la finale de la Coupe d'Europe des clubs champions opposant Liverpool à la Juventus de Turin. Les supporters anglais ont envahi une tribune de supporters italiens qui, pris de panique, se sont écrasés, piétinés, contre des grilles fermées et un muret. De la tribune où je me trouvais, diagonalement à l'opposé du théâtre du drame, nous n'avons vu que des mouvements de foule. Nous avons entendu les sirènes des ambulances et nous en avons conclu qu'il y avait des blessés. Alerté aussi par les appels au calme, par le coup d'envoi retardé du match, j'ai voulu à la mi-temps me renseigner. Mais, même avec une carte de presse, il m'a été interdit de quitter la tribune où commençaient à circuler des rumeurs très alarmistes. Ce n'est qu'après la rencontre, en quittant le maudit stade, que mes compagnons de voyage et moi-même avons appris que plusieurs dizaines de personnes avaient trouvé la mort (trente-neuf exactement).

Spectateur d'un drame aussi révoltant qu'abominable, moi, journaliste, je n'en avais pas vu grand-chose.

Marron

Secret bien gardé : je porte tous les jours, depuis cinquante ans, dans la poche droite de mon pantalon, un marron. Un bon gros marron bien joufflu que je ramasse en septembre, avec trois ou quatre autres, sous un marronnier qui me paraît sympathique, dans un parc de Paris, à Quincié ou au cours d'une promenade impromptue, ici ou ailleurs. Il n'y a pas de jour que je ne le caresse, ne le triture, ne le fasse rouler entre mes doigts. Il en est vernissé, brillant. Il est très rare que je le perde. Il me fait toute l'année.

Ayant eu dans ma jeunesse des crises de rhumatismes infectieux, je reçus d'une tante experte en pharmacopée champêtre le conseil de porter toujours sur moi un marron. Il avait le pouvoir, disait-elle, de s'opposer avec douceur aux poussées inflammatoires des articulations et des muscles. Il eut la modestie de ne jamais m'avertir de ses interventions. Je m'habituai peu à peu à son existence au fond de ma poche, puis me félicitai de sa présence ronde, un peu bosselée. Il devint même une sorte de talisman, de grigri intime. Et mieux : quand, pour quelque motif que ce soit, je sens monter en moi une nervosité à laquelle je m'efforce de ne pas céder, je serre fort mon marron, je le palpe, le caresse, le triture, obtenant du contact sensuel de son écorce une paix salvatrice, un calme qui, souvent, en étonne plus d'un. Si mes colères furent rarissimes, je le dois beaucoup à ce marron dont ma tante ignorait qu'il étendait aux nerfs son action bienfaisante.

Souvent, avant une émission délicate, je le tirais de ma poche et, afin de me détendre, de gagner en sérénité, je jouais avec. Je le lançais en l'air et le rattrapais. Plusieurs fois de suite. Il ne tombait jamais. Des témoins s'étonnèrent de mon manège. Un marron ? Oui, un marron. Oh, comme c'est drôle ! Je teste mes réflexes. Je me prépare au ping-pong verbal. N'avez-vous pas vu le célèbre film noir de Howard Hawks, *Scarface* ? Ah, oui, le tueur avec sa pièce de monnaie qu'il lance en l'air et rattrape immanquablement ? C'était George Raft qui jouait le rôle. Inoubliable. Son sourire cynique. Sa désinvolture criminelle. Mon film s'appelle *Apostrophes* ou *Bouillon de culture*. Ce n'est pas un film noir. C'est une émission littéraire qui revient chaque semaine, le vendredi soir. Dans l'argot de la presse on désigne cette répétition des événements à la même date ou le même jour sous le nom de *marronnier*. N'est-il pas logique que je porte sur moi un marron de mon marronnier ?

Mélancolie

Le mot est si beau qu'on voudrait souffrir de mélancolie rien que pour pouvoir la nommer. Combien de fois, chagrin, pessimiste, dans l'état d'abattement que procure une épreuve ou une contrariété, j'ai prononcé le mot de *mélancolie*, ressentant aussitôt un mieux-être dû à sa musicalité, à son élégance, à sa douce ondulation ? Les romantiques avaient bien compris qu'elle leur laissait assez de gouverne sur eux-mêmes pour en tirer des larmes de plaisir et des poèmes d'anthologie. Car la mélancolie est à la fois le nom d'une dépression et le nom de son antidépresseur.

Le jazz est la musique de la mélancolie. Le flamenco est trop sonore, le fado trop sombre, le tango trop agité. De la musique nègre monte une douleur sereine, une plainte allègre. Dans *Magie noire*, Paul Morand évoquait « cette impérieuse mélancolie qui sort des saxophones ». Des trompettes aussi. Des clarinettes et même des banjos. Le blues est si magnétique qu'à la longue il nous arrache au blues, comme les chœurs des negro-spirituals nous arrachent aux souffrances de la terre.

Il est probable que la mélancolie a été inventée par Dieu longtemps après la Création, quand il prit conscience de ses erreurs. Ainsi l'insatisfaction des artistes se transforme-t-elle en mélancolie. Celle-ci devient alors un stimulant pour créer de nouveau.

À propos...

On ne peut pas mieux dire que « le soleil noir de la mélancolie » (double oxymore). Gérard de Nerval est pourtant resté « inconsolé ».

Melon

Il est rare aujourd'hui de rapporter du marché un melon immangeable, qui sent la glèbe ou la potion méphitique. Il y a encore des melons décevants, qui manquent de jus, de goût, mais l'on a plus de chances de tomber sur un cavaillon ou un charentais qui embaume, fond et répand dans la bouche son jus voluptueux.

À une époque où le choix d'un bon melon relevait de la loterie, dans l'épicerie de mes parents j'avais la réputation d'avoir la main malheureuse. Certaines clientes acceptaient d'être servies par moi, à condition que mon père – qui soupesait le melon, le retournait, le flairait, observait l'état de son pédoncule – me suppléât dans cet exercice délicat où je n'élisais que des courges. J'étais un peu marri, mais le sourire malin de mon père ne me blessait pas parce qu'il prouvait qu'il connaissait bien son métier et que ce ne serait jamais le mien.

La théorie de Bernardin de Saint-Pierre selon laquelle le melon est destiné à être mangé en famille parce que ses côtes le divisent en parties égales m'a toujours paru chichiteuse et antigastronomique. J'aime les gros melons coupés par moitié, que l'on mange à la cuillère. Comme autrefois le caviar dans un saladier. L'été, je pourrais ne me nourrir que de melons, de cerises, de fraises et de framboises. J'écris ces quatre mots et de ma feuille s'élèvent leurs parfums.

À propos...

J'ai toujours refusé de dire d'un homme prétentieux, fat, hautain, qu'il a *attrapé, chopé, pris le melon*. Associer ce fruit délicieux à la boursouflure de l'ego est un crime du langage (> Mots gourmands dévoyés). *Avoir, prendre la grosse tête* suffit. Ou, mieux, parce que plus dépréciatif, *il ne se sent plus pisser* ou *il ne se prend pas pour une merde.*

De grâce, qu'on laisse le melon à la gourmandise des gens simples.

Mémoire

Un dimanche soir, à l'aéroport londonien d'Heathrow, un passager vint vers moi, souriant, la main tendue. Devant mon regard perplexe, embarrassé, il me dit : « Vous ne me reconnaissez pas ? – Votre visage me dit quelque chose, mais... – J'étais l'un de vos invités, avant-hier soir, sur le plateau d'*Apostrophes* ! »

Qu'il n'ait pas été le plus brillant n'était pas une excuse. Combien de fois suis-je passé pour un personnage distant ou hautain parce que je n'avais pas reconnu un visage ou que je n'avais pas su lui donner un nom ? C'est une infirmité dont j'ai beaucoup souffert.

Car, contrairement à la conviction du public que ma

mémoire a été l'un de mes précieux auxiliaires, ce fut une décevante collaboratrice, une passoire. Enfant, je lisais cinq ou six fois une fable de La Fontaine et je la savais par cœur. Mais, vers l'âge de onze ans, je fus atteint d'une primo-infection qui m'envoya pendant deux mois dans un préventorium. Revenu guéri, je constatai avec stupéfaction, puis avec une résignation douloureuse, que ma mémoire ne fonctionnait plus comme avant. Elle était devenue poreuse. Des médecins m'ont dit que je n'avais pas été le seul adolescent dans ce cas et qu'on n'a jamais bien su expliquer pourquoi une infection des poumons pouvait provoquer des troubles de la mémoire.

Toute ma vie, et plus encore quand j'animais des émissions pendant lesquelles le recours à la mémoire devait être spontané, j'ai pâti de ne pas avoir à ma disposition un grenier plein de souvenirs, de références, de citations, de noms, de titres, d'idées, de raisonnements, d'images, comme les énormes silos dans lesquels puisent à volonté Jean d'Ormesson, Jorge Semprun ou Robert Sabatier. Comme je les enviais !

Cette déficience m'a obligé à toujours prendre des notes pendant mes lectures, à fournir plus de travail et, avant chaque émission ou entretien, à ordonner mes références et mes questions. Je me comportais en étudiant plus appliqué que doué.

Mais j'avais un atout : si ma mémoire ne résistait guère à l'érosion du temps, pendant quelques jours elle faisait preuve d'intensité, d'acuité, de bonne volonté. Elle se mobilisait assez pour m'assurer chaque semaine une gouvernance correcte de l'émission. C'est pourquoi je pouvais recourir sans effort apparent à telle citation d'un livre qui infirmait les propos de son auteur ou à telle référence à laquelle je faisais spontanément appel pour alimenter le débat ou pour aider un écrivain embrouillé dans ses explications. Parce que je venais de les lire, je connaissais souvent mieux que leurs auteurs le contenu des livres. Ils les avaient écrits voici plusieurs mois, les avaient un peu oubliés, avaient négligé de les relire. Aux yeux des téléspectateurs ma mémoire paraissait bien meilleure que la leur. C'était une illusion de circonstance.

Comme l'instituteur qui, à la fin de la journée, efface tout ce qui a été écrit sur le tableau, à la fin de la semaine je passais un coup de torchon virtuel sur mon front. J'allais pouvoir y imprimer ce que j'apprendrais de la lecture des livres de l'émission suivante.

Ne s'inscrivaient durablement dans ma mémoire que les quelques ouvrages qui, au cours de l'année, m'avaient fortement impressionné. Mais, plus tard, pour m'y référer, pour les citer, il faudrait que je relise mes commentaires dans les marges et tous les passages que j'avais soulignés.

Je suis si peu sûr de ma mémoire que je suis obligé de vérifier le texte des citations les plus connues et le nom de leurs auteurs. Cela m'aura fait perdre beaucoup de temps, mais évité bien des erreurs. Je ne sais plus qui a dit : « Une tête sans mémoire est comme un pays sans défense. » De Gaulle ? Napoléon ? Churchill ? Bergson ? Je vérifie dans un dictionnaire des citations. C'est Napoléon. Il a écrit exactement : « Une tête sans mémoire est une place sans garnison. »

À propos…

Jean d'Ormesson : « J'ai connu beaucoup de gens qui se plaignaient de leur mémoire, jamais de leur intelligence. »

> Peu importe

Merci

De tous les mots en cinq lettres qui expriment du sentiment : cœur, amour, aimer, bonté, pitié, etc., *merci* est le plus fréquemment employé.

On dit merci pour un oui. Et même pour un non : *non, merci.*

On exprime sa gratitude à propos de tout et de rien : *merci pour tout* ; *ce n'était rien, merci.*

Il y a les pingres : *je veux simplement vous dire merci* ; et les généreux : *merci mille fois !* Encore plus munificent : *merci, mille fois merci !*

La reconnaissance peut être étriquée : *un petit merci*, ou ample : *un grand merci.*

Dans notre société en proie à la surenchère, un modeste *merci* ne suffit plus. Il faut lui donner du volume. Il faut l'accompagner d'un autre mot qui doit procurer à celui à qui va le remerciement le sentiment que la personne obligée est vraiment très obligée. C'est pourquoi l'on dit : *merci bien*, *merci merci*, *merci à vous*, *merci beaucoup*. Aucun animateur de radio et de télévision ne prend congé de ses interlocuteurs sans les remercier *beaucoup* et, parfois même, *beaucoup beaucoup*. Le *merci beaucoup* est devenu si banal qu'il va falloir trouver un renchérissement dans les mots avec lesquels le service ou le compliment sera payé. On attend les propositions. *Dieu merci*, il y en aura. *Merci d'avance.*

À propos…

On nous rebat les oreilles ; on nous bouche la vue ; on nous empeste ; on nous détourne ; on nous fait attendre ; on nous demande de revenir ; on nous refoule ; on nous menace ; on nous sollicite ; on nous met en garde ; on nous pompe l'air ; on nous casse les couilles. Et, chaque fois, le même panneau : « Merci de votre compréhension. » Cette formule, si souvent reproduite et affichée qu'elle en devient insupportable, ne pourrait-on en changer de temps en temps ? Merci de votre compréhension.

Raccourci abrupt, mais poli :
« Merci !
– C'est moi ! »

Merde !

> Zut !

Montre

Durant mes neuf dernières années de télévision, je portais la montre qui me fut offerte pour mes soixante ans. On la voyait beaucoup sur le petit écran, surtout lors des émissions *Double je* enregistrées quand l'été autorisait les chemises à manches courtes.

Je ne crois pas que ce soit par hasard qu'elle a commencé à dérailler quelques semaines après mes adieux à la deuxième chaîne. Il y a sûrement eu un lien entre ma retraite et ses troubles moteurs. C'est une Cartier. Une vedette. Pas la star des stars au royaume bling-bling des montres-bracelets, mais une incontestable animatrice du temps qui passe. Toujours à l'heure, d'une ponctualité servile. Belle et discrète. À l'aise sous les sunlights et les caméras. Combien de fois, en douce, en toute confiance, l'ai-je consultée pour connaître le nombre de minutes écoulées depuis le début de l'émission ? Il me semblait que, quoique silencieuse, elle ronronnait de bonheur. Ah ! comme elle aimait la télé, ma Cartier ! S'afficher à mon bras devant des centaines de milliers de regards envieux, oh oui !

Mais les spots se sont éteints, les caméras n'ont plus tourné pour nous, et, comme beaucoup de célébrités disparues du jour au lendemain du petit écran, elle s'est laissée aller à la mélancolie, puis elle a plongé dans la déprime. Sinon, comment expliquer ses foucades qui lui faisaient prendre tout à coup dix minutes d'avance ou vingt minutes de retard, ses arrêts capricieux, ses dérèglements en passant d'un jour à l'autre ?

Parce qu'elle avait le sentiment de ne plus être de son temps, elle ne voulait plus être à l'heure.

J'étais d'autant plus irrité par son comportement qu'il n'était pas le mien. Je goûtais au contraire aux charmes d'une nouvelle vie dont étaient exclus les rendez-vous angoissants de la télévision. Je renouais avec des travaux et des plaisirs depuis longtemps abandonnés, quand je ne les découvrais pas. Ma montre était d'autant plus démoralisée qu'elle me sentait revitalisé, d'excellente humeur. Elle ne me comprenait pas. Non seulement la télévision lui manquait, mais elle s'agaçait de ne pas m'en voir porter le deuil. Deux raisons de détraquer son subtil mécanisme. Il faut en ajouter une troisième : quand j'ai pris la décision de ne plus fréquenter mes spots, je ne l'ai pas consultée.

Je l'ai souvent déposée chez Cartier. Je leur ai tout raconté. Sa gloire, sa disparition du petit écran, son spleen, ses pannes existentielles. « C'est dans sa tête ! » disais-je aux techniciens. Étonnés, ils fixaient la mienne. Chaque fois, ils me rendaient ma montre comme remise à neuf. Chaque fois, après quelques semaines, au mieux quelques mois d'exactitude résignée, elle rechutait. Des retards lents ou soudains, progressifs ou brutaux. Ces retards pour me rappeler qu'à mon poignet elle perdait désormais son temps. Ou bien, dépitée et rebelle, tout simplement elle s'arrêtait. Son message : plutôt mourir que de vivre dans l'anonymat.

J'ai pensé à demander à Michel Drucker de bien vouloir porter ma montre pendant ses émissions. De ne pas hésiter à l'exhiber sous les feux de sa popularité. Mais pourquoi ma montre, si prestigieuse soit-elle, prendrait-elle la place de la sienne, qui a une belle carrière derrière elle et qui, jusqu'à la mort de son maître, en a une très prometteuse devant elle ?

À moins que Michel Drucker n'accepte d'en porter deux ?

Mot

D'un radin des mots : « Le directeur m'a envoyé un petit mot pour que je dise un mot à la fin du repas. J'ai la réputation d'avoir toujours un mot d'esprit ou un mot d'auteur à placer. Et, quand on a bien bu, un mot pour rire. Mais j'en ai marre – j'ai failli dire un gros mot ! Sous prétexte que j'aime glisser un mot çà et là et que j'ai souvent le dernier mot, mes collègues de travail se sont donné le mot pour me prier de torcher un mot à notre directeur, justement, sur, au bas mot, ses entourloupettes. Lâchons le mot : ses escroqueries ! Mais je ne sais pas un traître mot de cette affaire et ce n'est pas demain qu'on connaîtra le fin mot de l'histoire. Aussi ma décision est-elle prise : pas un mot ! »

Quelle largesse, Corneille, quelle générosité, avec sa célèbre apostrophe : « À moi, comte, deux mots ! »

Mots

J'ai toujours considéré les mots comme des êtres vivants. C'étaient à mes yeux d'enfant de minuscules et foisonnantes créatures qui sortaient de partout : du poste de radio, du journal, des livres, des lettres, de la bouche de ma mère, de celle de l'instituteur, du curé, de mes camarades, enfin de la mienne. Leur disponibilité, leur docilité me procuraient une confiance, parfois un aplomb qui n'étaient pas dans ma nature. Je les ai utilisés pour confectionner de gros mensonges. C'était très rigolo d'assembler des mots qui disaient des choses qui n'existaient pas, mais qui pour les autres se mettaient à exister. Et elles existaient si bien que ce n'était plus pour moi un mensonge mais la vérité. De sorte que, lorsque mon bobard était découvert, les premiers mots qui jaillissaient de ma bouche constituaient une réelle protestation de bonne foi. Ensuite, les mots d'aveu et de repentir rencontraient bien des obstacles pour être distinctement prononcés.

J'ai découvert très tôt que, sur la langue ou sous la plume, les mots n'arrivent pas à la même vitesse. Certains bondissent comme des lutins, des diables, d'autres se traînent comme des clampins. Il y en a qui sont toujours volontaires pour sortir de la bouche, du stylo ou du dictionnaire, il en est d'autres qui se cachent à l'arrière du palais, dans la réserve d'encre ou entre deux substantifs courants ou familiers du dico.

Aujourd'hui encore il m'arrive de regretter de n'avoir pas su retenir un mot qui a joué des coudes pour être le premier, et de n'avoir pas été assez habile pour en utiliser un autre, modeste, tranquille comme Baptiste, planqué, qui était le mot juste.

Enfant, et même adolescent, je croyais à une hiérarchie des mots, les plus longs étant les plus importants. Plus ils comptaient de lettres, plus ils étaient riches. Si j'avais connu son existence, *anticonstitutionnellement* eût suscité ma vénération. *Extraordinaire* était pour moi un mot extraordinaire. *Nabuchodonosor* fut le plus grand des rois, le *Kilimandjaro* est la plus haute des montagnes. *Exceptionnellement* était un mot exceptionnel. Je truffais mes rédactions d'adverbes en *-ment* : *affectueusement*, *généreusement*, *charitablement*, *perpétuellement*, *mathématiquement*... On ne disait pas encore : « Ça en jette ! » À mes yeux, ça en jetait ! Cela impressionnait-il mes professeurs ? Non. Vraisemblablement.

J'étais quand même perturbé par la brièveté des mots *vie*, *mort*, *riche*, *fort*, *vent*, *terre*, *jour*, *nuit*, *siècle*, etc. Et, surtout,

Dieu. Qu'est-ce qu'il lui a pris, à l'Éternel, de se nommer court, condensé, rabougri, modeste ? Pourquoi ne s'est-il pas attribué la plus longue des dénominations, le plus majestueux des patronymes ? Comment expliquer la contradiction entre l'immensité de son œuvre et la brièveté de son état civil ? Il y avait là une divine et secrète astuce à laquelle je n'entendais rien. Je ne comprenais pas davantage la *transsubstantiation.* Au moins le mot est long et compliqué ! Impossible de l'écrire sans faute. Il désigne un miracle et son écriture est accordée à son mystérieux contenu. Il m'en bouchait un coin.

Enfin, dans mes jeunes années, sous l'influence de La Fontaine, mon écrivain chouchou, je classais les mots selon des catégories animalières. Il y avait les mots-oiseaux : plumes, bec, ailes, arbre, branche, nid, ciel, cri, chant, voyage, migration, etc., et les mots-poissons : eaux, ruisseau, rivière, étang, Dombes, Saône, écailles, ouïes, banc, pêche, barque, ligne, bouchon, hameçon, ver de terre, asticot, filochon, friture, etc. Les truites avaient des mots qui n'appartenaient pas aux carpes, et inversement. Il y avait des mots-lapins qui étaient différents des mots-lièvres. En dehors du pré et de l'écurie, les mots-chevaux ne broutaient pas avec les mots-vaches.

Mais tous ces mots étaient bien ordinaires, et peu stimulants pour des rêves juvéniles, comparés aux mots nés et grandis dans la steppe et la jungle. Les rugissements des mots-lions, le pas lourd des mots-éléphants, la meute affamée des mots-loups, les grimaces et facéties des mots-singes, le brun et le blanc des mots-ours, les sauts à pieds joints des mots-kangourous, les dents féroces des mots-crocodiles...

Tous ces mots, je m'en souviens, avaient des odeurs de bêtes. Ils sentaient fort. Pourtant, je n'avais vu ces animaux qu'en images. Depuis, quoique je les aie tous plusieurs fois approchés, leurs mots ne sentent plus rien.

Mots délicieux

Doublement délicieux. À l'oreille, parce que ces mots sont beaux ou amusants ; en bouche, quand le cuisinier ou le pâtissier a du talent.

Belle-Hélène

Entremets composé de poires, williams de préférence, pochées sur de la glace à la vanille et recouvertes de sauce au chocolat chaud. Il porte le nom de l'héroïne de l'opérette d'Offenbach, *La Belle Hélène* (1864).

Bêtise de Cambrai

Bonbon à la menthe.

Bouchée à la reine

Variété de vol-au-vent qui doit son nom à la reine Marie Leszczyńska, épouse de Louis XV, et son invention à son cuisinier, Vincent de La Chapelle.

Croque-monsieur

Sandwich chaud (pain de mie, jambon, gruyère). « Mme de Villeparisis avait commandé pour nous à l'hôtel des "croque-monsieur" et des œufs à la crème » (Marcel Proust, *À l'ombre des jeunes filles en fleurs*).

Le croque-madame est un croque-monsieur surmonté d'un œuf au plat.

Croquembouche

Pièce montée faite de pâtisseries qui croquent en bouche, en particulier des petits choux à la crème rendus croquants par leur enrobage de caramel. Sous le titre *Croque-en-bouche*, Fanny Deschamps a consacré un livre goûteux et… croquant à son neveu, le grand chef Alain Chapel.

Dame blanche

La Dame blanche, opéra-comique à succès de Boieldieu, a donné son nom à un dessert fait de glace à la vanille, de crème chantilly et de crème au chocolat.

Gâteau des rois

Dès le Moyen Âge, le jour de l'Épiphanie, on glissait une fève dans le traditionnel gâteau des rois. Celui ou celle qui tirait la fève devenait roi ou reine. Maintenant, c'est pendant tout le mois de janvier que sont glissées des petites figurines de porcelaine ou de plastique dans la galette des rois.

Langue-de-chat

Petite pâtisserie dont la forme évoque la langue du chat.

Oreiller de la belle Aurore

« Appellation d'un mets sophistiqué créé par Brillat-Savarin sous la Restauration en hommage à sa mère Claudine-Aurore Récamier, dite la Belle Aurore, fin cordon-bleu dont les paroles ultimes furent : "Allez, je vous prie, vérifier s'il reste un peu d'entremets à la cuisine"... » (Claudine Brécourt-Villars, *Mots de table, mots de bouche*).

Pet-de-nonne

Beignet à base de pâte à choux. Son nom vient-il des bruits que font les bulles d'air en se libérant de la pâte plongée dans le bain de friture ? Mais, dans ce cas, pourquoi les nonnes ? Ou bien est-elle vraie, la légende de la jeune religieuse qui, à l'abbaye de Marmoutier, laissa échapper, à la suite, de son ventre un petit vent, de ses mains la pâte à choux ? Celle-ci tomba dans un bain d'huile chaud. Elle gonfla et se révéla délicieuse. Ce miraculeux beignet méritait bien qu'on l'appelât pet-de-nonne !

Puits-d'amour

Encore un opéra-comique à succès qui a donné son nom à une pâte feuilletée, creuse à l'intérieur, remplie de confiture caramélisée ou de crème pâtissière parfumée à la vanille ou à la praline.

Sot-l'y-laisse

Excellent morceau de la poule ou du poulet qui se situe au-dessus du croupion et que le sot abandonne par ignorance ou par répugnance.

Tablier de sapeur

Morceau de panse de bœuf mariné, trempé dans de l'œuf battu, pané et frit. Appelé ainsi, après s'être appelé « tablier de Gnafron », parce que le maréchal de Castellane, gouverneur de Lyon sous Napoléon III, en était fou et que, dans sa jeunesse, ayant porté le tablier de sapeur du génie, il préféra ce tablier à celui de l'ami de Guignol.

Vol-au-vent

« L'invention du vol-au-vent est attribuée à Antonin Carême. Un jour qu'il confectionnait des tourtes classiques, l'illustre cuisinier eut l'idée d'en faire une avec une abaisse de feuilletage fin (…). À la cuisson, la tourte prit les dimensions d'une petite tour. "Antonin ! Elle vole au vent", s'écria le tourtier. Le vol-au-vent était né » (Jean Vitaux, *Dictionnaire de la gastronomie*).

Mots gourmands dévoyés

Pourquoi avons-nous détourné beaucoup de mots gourmands pour leur faire dire des méchancetés ? La verve populaire s'est emparée du vocabulaire de bouche et en a fait des métaphores ironiques. On se régale de ces mots et on les recrache dans la raillerie. Pourquoi cette maltraitance lexicographique de la table ?

Voici une liste, incomplète sûrement, de ces substantifs gourmands dévoyés par l'argot, par le bagou du peuple, par la misogynie, par la dérision, par l'éternel besoin de jouer avec les mots.

Légumes

Navet : très mauvais film.
Salade : affaire embrouillée, confuse.
Chicorée : correction. Se chicorer = se battre.
Artichaut : avoir un cœur d'artichaut = avoir le cœur volage.
Asperge : femme grande et maigre.
Oignon : anus, cul. Se le faire mettre dans l'oignon = se faire duper.
Patate : individu lourdaud.

Chou : feuille de chou = journal médiocre, sans intérêt. Ne rien avoir dans le chou (tête) = être idiot.
Haricots : des clopinettes, des cacahouètes, c'est-à-dire rien. Travailler pour des haricots. La fin des haricots = la fin de tout.
Fayot : lèche-cul, rapporteur.
Carotte : carotter = voler, escroquer.
Pois chiche : avoir un pois chiche dans la tête = être stupide.
Courge : bêta, bêtasse. « Quelle courge ! »
Cornichon : homme idiot, stupide.

Viandes

Poulet : l'un des noms péjoratifs du policier. La maison Poulaga = l'ensemble des flics.
Poule : maîtresse (« C'est sa poule ! », vieilli) ; prostituée, « poule de luxe ». Poule mouillée = personne craintive, peureuse.
Volaille : groupe de femmes. « Caletez, volaille ! » = fichez le camp !
Dinde : femme stupide.
Dindon : homme dupé. « Le dindon de la farce. »
Pigeon : synonyme de dindon. Se faire pigeonner = se faire plumer, rouler.
Oie : jeune fille innocente et niaise, « une oie blanche » ; femme très sotte.
Lapin : poser un lapin = ne pas venir à un rendez-vous.

Chaud lapin = homme porté sur les aventures sexuelles. Le mariage de la carpe et du lapin = union contre nature.

Mouton : mouchard dans le langage des prisons. Suivre comme un mouton = être docile. Personne crédule qui ne réfléchit pas. Mouton noir, mouton enragé, etc.

Brebis : toujours égarée ou galeuse.

Chèvre : faire devenir chèvre = faire enrager = faire tourner en bourrique (âne).

Bouc : toujours émissaire = chargé des péchés, donc responsable.

Cochon : dégoûtant, paillard, pornographique.

Porc : sale, grossier, infâme.

Vache : personne grosse, ou méchante, ou sévère. « Ah, les vaches ! » « Quelle peau de vache ! » « C'est très vache ! » « Mort aux vaches ! » (policiers).

Veau : personne sans caractère, avachie, dont on ne peut rien espérer.

Âne : individu sot et ignorant. Cancre. Bonnet d'âne dont on coiffait jadis les mauvais élèves.

Cheval : un grand cheval = femme masculine de haute taille.

Gibier

Bécasse : sotte.

Bécassine : jeune fille stupide.

Faisan : escroc.

Poissons

Maquereau : proxénète, mac.

Hareng : proxénète, mac. « Peau d'hareng ! », expression injurieuse.

Merlan : coiffeur. Proxénète. Faire des yeux de merlan frit = lever les yeux au ciel d'une manière ridicule, hypocrite.

Morue : prostituée.

Carpe : ignorant ou muet comme une carpe. Faire des yeux de carpe = avoir un regard inexpressif. Le mariage de la carpe et du lapin = union contre nature.

Limande : plate comme une limande = femme sans poitrine.

Requin : homme d'affaires vorace, impitoyable. « Les requins de la finance. »

Caviar : caviarder = censurer.

Grenouille : mare aux grenouilles = milieu politique ambitieux et affairiste. Le grenouillage. Grenouille de bénitier = bigote de la paroisse. Manger la grenouille = dilapider les économies.

Huître : personne stupide.

Cuisine

Farine : de la même farine = qui ne valent pas mieux les uns que les autres. Rouler une personne dans la farine = la tromper.

Pain : coup de poing, gifle.
Bouillon : boire le bouillon = avaler de l'eau en nageant, ou faire de mauvaises affaires. Bouillon d'onze heures = breuvage empoisonné.
Soupe : marchand de soupe = mauvais restaurateur ou cuisinier. Être soupe au lait = être coléreux. Un gros plein de soupe = homme ou adolescent très gros. Aller à la soupe, cracher dans la soupe, la soupe à la grimace, etc.
Purée : misère, panade.
Boudin : jeune fille petite et grosse. S'en aller en eau de boudin = péricliter progressivement.
Andouille : idiot. Faire l'andouille = faire l'idiot ou simuler la nigauderie.
Jambon : grosse cuisse.
Ratatouille : cuisante défaite, dégelée (> Ouille !).
Choucroute : chignon volumineux, assez ridicule. Pédaler dans la choucroute, s'activer inutilement. On dit aussi pédaler dans la semoule, la purée, le couscous, le yaourt, la compote…

Fruits

Pomme : personne crédule, un peu bébête. « Quelle pomme ! » Tomber dans les pommes = s'évanouir.
Poire : personne naïve, qui se laisse berner. « Quelle poire ! »
Noix : personne idiote. « Quelle noix ! » À la noix = à la con, sans intérêt.

Marron : coup de poing. « Recevoir des marrons. »
Châtaigne : coup de poing. « Ils se sont châtaignés. »
Prune : coup de poing. Contravention. Pour des prunes = pour rien.
Pruneau : projectile d'arme à feu. « Il s'est pris trois pruneaux dans le bide. »
Cerise : avoir la cerise = avoir de la malchance.
Guigne : petite cerise. Se soucier de quelqu'un comme d'une guigne = ne lui prêter aucune attention.
Fraise : sucrer les fraises = avoir les mains qui tremblent, être vieux et gâteux.
Banane : se prendre une banane = essuyer un échec. Glisser sur une peau de banane = se casser la figure. Mettre des peaux de banane = chercher à faire échouer quelqu'un.
Citron : prix citron = prix attribué au concurrent le plus antipathique.
Melon : tête. Prendre, attraper le melon = devenir fat, prétentieux (> Melon).

Fromage

Dans le langage argotique ou populaire, un *fromage* est une sinécure, un travail pépère qui rapporte gros.

Friandises

Caramel : coup de poing, coup de boule.
Chocolat : être chocolat = être dupé (> Chocolat).
Bonbon : cher. « Ça coûte bonbon ! » Testicules dans l'expression « casser les bonbons » = importuner.
Nougat : pied.
Tarte : gifle. « Tu vas l'avoir, ta tarte ! » Moche. « Elle est très tarte ! » Pas dégourdi, ridicule, tartignolle. Tarte à la crème = sujet rebattu.
Brioche : estomac renflé, gros ventre. Bedaine.

Est-ce pour se punir de leur appétit et de leur cuisine raffinée que les Français ont détourné, non sans vulgarité, tous ces mots gourmands ? Qu'ils leur ont fait exprimer de la violence, de la dérision, de la rosserie ? Il y a du chrétien dans cette dévalorisation des choses et des mots appétissants. Toujours se rappeler que la gourmandise est un péché. Que nous devons avoir la contrition de nos voluptés. Rabaisser, humilier, vulgariser les mots de la table participe de cette nécessaire mortification.

À propos…

Par bonheur, il est des mots gourmands qui sont détournés dans le bon sens, en particulier l'amour, la tendresse.

« Mon chou », « mon lapin », « mon petit poulet », « ma poule », etc. Les amants « se sucent la pomme ». Aux pommes = c'est parfait. Aux petits oignons = épatant, très bien. Un effet bœuf = puissant, efficace. Le blé, l'avoine, l'oseille, c'est de l'argent. Le poireau = Mérite agricole. Prix orange = prix accordé au concurrent le plus sympathique. L'ourlet d'une jupe « à ras le bonbon » flirte avec le clitoris. Enfin, la petite chose en plus, le bonus de la réussite = la cerise sur le gâteau.

Museau

La salade de museau de bœuf est une entrée fort agréable, mais c'est quand le *museau* remplace dans les textes littéraires le visage, la figure de l'homme ou de la femme que je l'apprécie le plus. *Se frotter le museau* : s'embrasser. *Une fricassée de museaux* est une embrassade générale. Moins agréable, *donner sur le museau* est donner une gifle, au moins une chiquenaude. Dire d'une jeune fille qu'elle a un *joli museau* laisse entendre qu'à la beauté de son visage s'ajoute un peu d'espièglerie ou de malice. *Pointer son museau*, c'est noter avec un peu d'ironie que l'on s'est risqué dans une assemblée avec prudence ou avec discrétion.

« Pourquoi les Portugais, pourtant fervents croyants

d'après leurs dires, faisaient-ils quotidiennement si gris museau alors que la Vie éternelle les attendait ? » (Erik Orsenna, *L'Entreprise des Indes*).

À propos…

Qui est l'horrible médecin anatomiste qui a appelé *museau de tanche* l'orifice externe de l'utérus ?

Mythe

Selon Claude Lévi-Strauss, un mythe est une histoire qui remonte au temps où les hommes et les animaux vivaient et communiquaient ensemble, quand ils n'étaient pas séparés, ni même distincts. Un mythe est un récit qui nous paraît aujourd'hui d'autant plus fabuleux qu'on imagine mal hommes et animaux à égalité de statut et passant indifféremment de la forme des uns à la forme des autres.

Est-ce à dire que plus le génie scientifique humain produit des inventions, plus l'écart se creuse avec l'intelligence animale, et plus nous nous éloignons des mythes ? Non, parce que ceux-ci ont déserté les forêts, les steppes, les fleuves et les mers, et se sont installés dans les villes. De sauvages, les mythes sont devenus domestiques. Chiens et chats surtout, par millions, vivent en harmonie avec leurs soi-disant maîtres, qui sont souvent leurs esclaves, au moins leurs égaux.

Qu'est-ce que le lapin, le hamster ou le cochon d'Inde lit dans le regard de la petite fille lorsqu'elle lui murmure des mots doux ? Et elle, quels messages reçoit-elle de son compagnon de chambre ? S'établit entre eux une véritable communication, comme entre la vieille dame et son matou, ou l'homme solitaire et son chien. Yeux dans les yeux, ils ont pris des habitudes. Ils se parlent, se questionnent, s'interpellent, se fâchent, se rabibochent, se réconfortent, se caressent, se frottent l'un contre l'autre, jouent, marchent, mangent, se reposent ensemble, quand ils ne dorment pas dans le même lit.

Il y a moins de différences qui les séparent que d'intérêts, d'affinités et d'amour qui les unissent.

Ils ont reconstruit les mythes de temps immémoriaux. Mais des mythes policés, tranquilles, pépères, aux croquettes industrielles, qui sont distants de milliards d'années-lumière des mythes de l'anthropologie au travers desquels on entendait craquer la nature, se propager la fable, se célébrer l'alliance et tonner les dieux.

À propos…

Certains films fantastiques, comme *Le Monde de Narnia*, *À la croisée des mondes*, renouent avec les anciens mythes. Hommes et animaux vivent ensemble. Des uns et des autres sont parmi les bons ; des uns et des autres sont parmi les méchants.

Nécrologie

Un journaliste de radio m'a dit que je figure en tête de sa liste de noms à appeler à l'annonce de la mort d'un écrivain connu. Un premier coup de fil, et je sais qu'il sera suivi d'une dizaine d'autres. Comme on ne peut pas répéter plus d'une ou deux fois, spontanément, les mêmes banalités, le mieux est de ne plus répondre.

Pour Alexandre Soljenitsyne, j'ai fait une exception : j'ai répondu à toutes les radios et à tous les journaux – plus France 2 – qui m'ont sollicité. C'était le 4 août 2008. Difficile à cette date de joindre qui l'on veut. Alors que, le plus souvent, j'estime que de nombreuses personnes sont plus compétentes que moi pour évoquer la vie et l'œuvre du disparu, mes quatre entretiens avec l'écrivain russe me donnaient une légitimité que, sauf mauvaise foi, je ne pouvais contester.

Mais ça tombait mal. Je revenais seul, en voiture, de Saint-Tropez. Pour répondre, je me rangeai sur une aire de stationnement. Par chance, ce jour-là, la batterie de mon portable était gonflée à bloc. Quand le téléphone ne sonna plus, je repartis. Pour m'arrêter sur l'aire suivante ou dans une station parce que j'étais de nouveau sollicité. Et ainsi jusqu'à Lyon. Curieuse impression de revenir du Midi, bronzé, détendu, l'esprit léger, et de discourir sur Alexandre Soljenitsyne, rescapé de la guerre, du cancer, du goulag, sur son expulsion d'URSS, son exil aux États-Unis, son retour triomphal en Russie, sur les controverses idéologiques que l'homme et la dernière partie de son œuvre avaient suscitées. En short, chemisette et petites espadrilles d'été, j'étais dans une drôle de tenue pour rendre hommage à l'un des grands hommes du XXe siècle.

Pour la mort de Maurice Druon, annoncée le soir du 15 avril 2009, j'étais très à l'aise pour répondre pendant plus d'une heure que je n'en dirais rien. La dernière fois que nous nous étions rencontrés, il avait refusé de me serrer la main. Rancunier, il n'avait pas oublié une polémique qui nous avait opposés, douze ans auparavant, au cours des débats sur des « rectifications » à apporter à l'orthographe de la langue française. Lui tendre de nouveau la main était risqué : il pouvait, cette fois, faire usage posthumement de son épée d'Immortel.

Jean d'Ormesson et moi sommes tellement liés dans le souvenir d'*Apostrophes* que celui qui mourra le premier déclenchera chez l'autre des salves de sonneries téléphoniques.

Je crains pour mes confrères des radios, tant ils sont coutumiers de m'appeler dès qu'une figure de la république des lettres disparaît, que, le jour de mon décès, par habitude, ils ne me téléphonent pour me demander d'évoquer quelques souvenirs sur le défunt.

Nénuphar

On n'a pas oublié la bataille furieuse qui opposa les défenseurs du *nénuphar* – avec *ph* – aux champions du *nénufar* – avec un simple *f*. C'était à la fin de 1990 et au début de 1991. La guerre du Golfe, la première, était imminente. Deux ou trois journaux américains et anglais s'étonnèrent qu'à la veille de ce qui serait peut-être un nouveau conflit mondial, les Français se répandissent en querelles absurdes à propos de l'orthographe d'une banale plante aquatique. N'y avait-il pas pour polémiquer sujet plus urgent, plus noble, plus dramatique ? La France était décidément un pays impossible.

C'est pour ce genre de frivoles chicanes que je me sens très français. Nabokov m'aurait approuvé : « Cette capacité de s'étonner devant des petites choses en dépit du péril imminent, ces à-côtés de l'esprit, ces notes au bas des pages du livre de la vie constituent les formes les plus hautes de la conscience, et c'est dans cet état d'esprit naïvement spéculatif, si différent du bon sens et de sa logique, que nous savons que le monde est bon » (*L'Art de la littérature et du bon sens*).

Il y avait d'un côté les réformateurs qui désiraient rectifier l'orthographe de *nénuphar*. L'orthographe d'autrefois, avérée par d'anciennes éditions du *Dictionnaire de l'Académie française*, ne comportait pas de *ph*. Il y avait un *f*. Rétablissons le *f*.

Il y avait de l'autre côté les conservateurs qui n'entendaient pas changer l'orthographe d'un mot entérinée par l'usage. Pourquoi revenir à un très ancien *f* ? Gardons le *ph*, même s'il fut, jadis, une erreur de copiste ou, selon le *Littré*, un usage des botanistes.

Ce qui était fort divertissant dans cette affaire, c'était que les réformateurs invoquaient le passé et passaient pour des nostalgiques ; et que les conservateurs rejetaient le passé et passaient pour des modernes.

J'étais du parti du nénuphar parce que cette plante appartient à la famille des nymphéacées dont le *ph* ne se discute pas. Sans compter que les nymphéas, qui sont des nénuphars blancs, s'écrivent eux aussi avec *ph*. On aurait fait du nénufar un orfelin.

Il y eut bien d'autres arguments lexicologiques, historiques, pédagogiques, développés dans des chroniques, interviews, confrontations à la radio. L'abondant courrier des lecteurs démontrait que la France profonde participait au débat et qu'on s'empoignait là-dessus en famille et dans les cafés. Oui, dans quel autre pays l'orthographe d'une plante, au demeurant très jolie avec ses larges feuilles vertes et ses fleurs à pétales blancs ou jaunes flottant au-dessus de l'eau, aurait-elle pu déclencher un tel tintamarre ?

Il est toutefois regrettable que l'on n'ait pas songé à demander leur avis aux paresseuses usagères des nénuphars : les grenouilles.

Néologismes

Je ne suis pas doué pour créer des néologismes, c'est-à-dire des mots nouveaux qui ont une utilité, qui apportent quelque chose d'inédit à la langue française. Quand, en plus, ils sont amusants ou malins, ils sont les bienvenus. En voici quelques-uns – San Antonio étant hors concours – repérés au cours de lectures récentes.

Pugiler : de *pugilat*, donner des coups de poing, boxer.
« Hier, j'étais dans le RER et un grand Noir assis à côté de moi a lancé à son copain : "Le frère de David, je l'ai pugilé grave !" C'est pas beau, ça, pugiler ? » (Anna Gavalda, *Lire*, avril 2008).

Criticailler : critiquer sans raison sérieuse, chercher la petite bête.
« Que *Bienvenue chez les Ch'tis* soit une réponse dans le style brasero au sinistre industriel d'une région, on n'ira pas criticailler » (Francis Marmande, *Le Monde*, janvier 2009).

Ouillouiller : gémir.
Répertorié dans les synonymes du verbe *gémir* par Bertaud du Chazaud (*Dictionnaire de synonymes, mots de sens voisin et contraires*).

Girafer : copier, pomper.

Néologisme africain. L'élève tend le cou vers son camarade assis à côté de lui pour mieux lire sa copie.

Luxorien, enne : d'un luxe inouï.

« Car il (le critique vertueux) a eu l'idée la plus triomphante, la plus pyramidale, la plus ébouriffante, la plus luxorienne qui soit tombée dans une cervelle d'homme... » (Théophile Gautier, préface à *Mademoiselle de Maupin*).

Audouzer : déboucher une vieille bouteille au moins quatre heures avant de la boire.

De François Audouze, collectionneur de vins très vieux, de bouteilles mathusalémiques, qui les propose à la dégustation après un minutieux et savant rituel. « Il faudrait audouzer nos beychevelle 28. »

Bondieuser : s'identifier à Dieu le Père.

Edmond de Goncourt emploie ce néologisme à propos d'Ernest Renan.

À noter que Jules Vallès avait, lui, créé *bondieusard*, synonyme de *bigot*.

Papauter : « pour le Saint-Père, bavarder longuement et en toute simplicité » (Gabriel Boccara, *Pope-corn*).

Tictaquer : produire à cadence régulière un tic-tac.

Créé par Huysmans, ce néologisme est rarement employé. « Il regarda le réveil tictaquant sur la commode » (Franz Kafka, *La Métamorphose*).

Robinsonner : vivre comme Robinson, sur une île, à l'écart du monde.

Mais Rimbaud lui donne un sens un peu différent quand il écrit dans son poème *Roman* :

> *« Le cœur fou robinsonne à travers les romans,*
> *Lorsque, dans la clarté d'un pâle réverbère,*
> *Passe une demoiselle aux petits airs charmants... »*

Le cœur fou va de roman en roman, d'île en île.

Vachéité : qui relève de la nature, du caractère de la vache. Pas très joli. Mais c'est Gombrowicz qui l'emploie : « Je me promenais dans l'allée bordée d'eucalyptus quand tout à coup surgit de derrière un arbre une vache. Je m'arrêtai et nous nous regardâmes dans le blanc des yeux. Sa vachéité surprit à ce point mon humanité que... » (*Journal*, t. 1).

Witold Gombrowicz, par l'intermédiaire de son traducteur Georges Lisowski, invente aussi *équivocité*, dans *La Pornographie*.

Gallimardeux : de la maison d'édition Gallimard. Créé et employé péjorativement par Céline :

« Ce gros matou gallimardeux (Gaston Gallimard) croit que les écrivains sont des filles de joie. Eh bien, il a raison, il faut se vendre et chèrement » (Rapporté par Mikaël Hirsch dans *Le Réprouvé*).

> Audimateux, euse

Noces

Je tombais amoureux, c'était fatal, pendant les vendanges (je l'ai raconté dans le *Dictionnaire amoureux du vin*) et pendant les mariages.

Déjà, petit garçon en culottes longues flanqué d'une petite fille en robe de mousseline blanche ou rose, je m'empressais auprès d'elle, lui donnant des bisous, dans le sillage de la traîne de la mariée. Peut-être étais-je déjà sensible au parfum de sensualité qui flotte dans l'air du jour des noces ?

Adolescent, puis jeune homme, j'étais un cavalier à qui les futurs mariés ou leurs parents attribuaient une cavalière. Nous formions l'un des couples de la cérémonie. Généralement, j'étais assez chanceux. Ma cavalière me plaisait, et quand, enfin, on pouvait se lever de table pour danser, je ne la lâchais plus, comme si, à l'exemple des jeunes mariés, nous étions promis à une nuit d'amour. Aujourd'hui ces dénouements rapides sont fréquents, alors qu'à l'époque ils étaient inenvisageables.

Je me rappelle être tombé raide amoureux d'une cousine, lointaine par les liens familiaux et par sa vie en Provence, et à laquelle, sitôt repartie chez elle, j'envoyai une lettre d'amour et de quasi-demande en mariage.

Quand ma cavalière ne m'inspirait pas, j'en entreprenais une autre, ou je jetais mon dévolu sur une femme de la noce, bien plus âgée que moi, qui s'étonnait de la fréquence de mes regards et de mes invitations à danser. Probablement s'en amusait-elle et peut-être était-elle flattée de sentir contre elle, dans les slows, l'effet dissimulé mais quand même flagrant de sa séduction.

Une journée de mariage est une journée très particulière puisqu'on est assuré qu'un couple la terminera en faisant l'amour. D'où le charivari, les farces médiévales, les blagues grossières, le ramdam autour du départ et du lever des nouveaux mariés. Je n'y participais pas. Ce qui me faisait rêver et excitait ma libido, en ces temps où même l'expression « faire l'amour » se prononçait en catimini, c'était la représentation imaginaire des deux jeunes mariés, nus, dans un lit. Il me semblait que tous les couples de la noce auraient dû faire de même. Moi compris, bien sûr, avec ma cavalière ou la femme de mon choix, puisque j'en étais amoureux.

Notoriété

Au temps où ma notoriété était la plus étendue, j'avais dit que, descendant les Champs-Élysées accompagné de Claude Lévi-Strauss et de Julien Green, c'est moi que le public solliciterait pour des autographes ou des photographies, et que vis-à-vis des deux illustres écrivains au visage inconnu du plus grand nombre, j'en aurais été honteux.

La notoriété par la télévision est la plus facile à obtenir. Avec une émission régulière qui dure de nombreuses années, on s'invite sans cesse au domicile des gens, on s'installe au bout de leur table ou de leur lit, et l'on devient vite un personnage plus familier que les neveux, les oncles, les tantes, les cousines dont les visites sont rares. Combien de fois m'a-t-on reconnu rien qu'au son de ma voix ?

Encore n'animais-je qu'une émission littéraire. Son audience, même exceptionnelle pour ce type de programme, n'était pas comparable avec celle des feuilletons, des jeux, des shows, des journaux télévisés. Pierre Desgraupes m'avait proposé le journal de 20 heures en alternance avec Christine Ockrent. Je lui avais répondu que je me sentais plus libre à converser avec des écrivains qu'à lire un prompteur sous le regard critique des confrères et des hommes politiques. Il m'avait alors dit que je retirerais du journal d'Antenne 2 une popularité sans égale comparée à celle dont je bénéficiais avec *Apostrophes*. Mais je n'étais pas en recherche de renommée supplémentaire. Il est vrai que, comme les riches qui veulent devenir de plus en plus riches, beaucoup de stars sont en quête de plus en plus de lumière.

De toutes les gloires, la médiatique est la plus imméritée si l'on prend en compte les qualités, les talents, les vertus à posséder pour accéder au même statut dans le théâtre, la littérature, le cinéma, la chanson, le sport, la politique. Excluons les sciences, la musique classique, la danse, l'opéra, etc., qui ne peuvent offrir une renommée aussi considérable que celle dont sont gratifiées les vedettes les plus populaires du petit écran.

J'ai bien vécu avec ma notoriété, n'oubliant jamais qu'elle était éphémère, volatile. Chanceuse aussi. C'est pourquoi je m'efforçais chaque semaine de prouver qu'elle n'était pas illégitime et que si je devais tout à la télévision, la télévision me devait aussi quelque chose, par exemple un peu de cette respectabilité qu'on lui accordait déjà chichement.

La notoriété apporte quelques avantages qui sont tout bonnement des privilèges, comme le surclassement dans un avion ou dans un hôtel, l'obtention d'une table dans un restaurant plein, les invitations au théâtre ou aux avant-premières des films, quelques priorités, quelques faveurs… Plusieurs fois, des automobilistes m'ayant reconnu dans la file d'attente des taxis se sont arrêtés et m'ont proposé de m'emmener, quelle que fût ma destination.

J'ai toujours et souvent voyagé à Paris en métro et en bus. À condition de ne pas dévisager les gens et, de préférence, lire un journal ou un livre, je suis rarement abordé. Et, si je le suis, c'est toujours avec gentillesse et une touchante naïveté.

J'apprécie le voyageur qui me gratifie d'un petit mouvement de tête et d'un sourire pour me signifier qu'il m'a reconnu mais qu'il ne veut pas m'importuner.

Comment ne pas éprouver en même temps gêne et plaisir quand, dans la rue, une femme, stupéfaite par une rencontre qu'elle juge miraculeuse, me demande l'autorisation de m'embrasser, considérant que sa longue fréquentation de mes émissions vaut bien cette récompense ? L'année dernière, au théâtre d'Aix-en-Provence, une jolie Anglaise, assise derrière moi, m'a tiré par la manche pour me raconter que vingt ans auparavant, quand elle avait épousé un Français, elle l'avait prévenu que si elle le trompait, ce serait avec moi. Si je dis que je me suis conduit en parfait *gentleman*, que comprendra-t-on ? J'avais invité à la dernière d'*Apostrophes* une délicieuse vieille dame, mère de l'une de mes amies, qui n'avait raté aucune des sept cent vingt-trois émissions précédentes. À l'Institut français de Varsovie, la jeune femme qui m'interrogeait en public écoutait mes réponses avec cet air de béatitude qu'on observe généralement sur les visages des spectatrices des groupes de rock. Les excès d'admiration sont parfois très agréables. Ils peuvent être aussi embarrassants.

Dans les rencontres fortuites avec des téléspectateurs, celles qui me touchent le plus sont celles où l'homme ou la femme me remercie de lui avoir donné le goût de la lecture. « Je vous en voulais, au début. Mes parents m'obligeaient à regarder *Apostrophes* (ou *Bouillon de culture*). Et puis je m'y suis habitué, et je suis devenu accro à votre émission. Si vous saviez le nombre de livres que vous m'avez fait acheter ! – Que vous avez lus ? – Bien sûr, et depuis je n'ai cessé d'acheter des livres et de les lire. Si j'ai cette passion pour la lecture, c'est grâce à vous. » Après de telles déclarations, quand l'auteur en est une femme, c'est moi qui lui propose de l'embrasser...

Des romanciers m'ont écrit dans la dédicace de leur première œuvre que mes émissions les avaient encouragés à écrire, espérant en être un jour les invités. Mais, à partir de 2001, ce fut trop tard. Ils se dirent frustrés. Quelques-uns me reprochèrent avec humour ma « défection » qui leur était préjudiciable.

Du temps d'*Ouvrez les guillemets* et d'*Apostrophes*, des jeunes filles n'hésitaient pas à me dire, les yeux dans les yeux, qu'elles m'aimaient beaucoup. Les années ont passé, et d'autres jeunes filles m'ont déclaré avec un beau sourire que leurs mères m'aimaient beaucoup. Le temps a poursuivi sa route, moi aussi, et depuis quelques années d'autres jeunes filles, avec une innocente cruauté, et toujours avec un sourire enjôleur, me confient que leurs grands-mères m'aiment beaucoup.

Sic transit gloria mundi.

À propos…

Voici l'un des cas où la notoriété est fâcheuse. Votre femme ou votre amante est invitée à un cocktail, à un vernissage, à une soirée, à un dîner, et, à sa demande, vous l'y accompagnez. Il est fatal que votre présence éclipse la sienne. Elle n'est plus seulement elle-même, elle est la compagne du célèbre X. Il y en a plus pour lui que pour elle. Elle se sent rejetée dans l'ombre. Il est peu probable qu'elle insiste beaucoup la prochaine fois pour vous emmener.

Œuf

L'impossibilité de répondre à la vieille question scientifique et philosophique « Est-ce la poule qui a fait l'œuf ou l'œuf qui a fait la poule ? » trouve sa justification dans l'écriture même du mot *œuf* : est-ce le *o* qui est dans le *e* ou le *e* qui est dans le *o* ?

Oh là là !

À cette interjection, on peut faire exprimer des sentiments très différents. La surprise : oh là là ! (Essayez-vous, lecteur, lectrice, à prononcer à haute voix ces trois mots en leur donnant le ton adéquat.) La colère : oh là là ! La grivoiserie : oh là là ! Le soupçon : oh là là ! La joie : oh là là ! L'anxiété : oh là là ! La béatitude : oh là là ! La peur : oh là là ! L'incrédulité : oh là là ! Le renoncement : oh là là ! L'agacement : oh là là ! La stupéfaction : oh là là ! Etc.

C'est parce que les sentiments que j'exprimais dans les chroniques rassemblées dans un petit livre étaient très variés que je l'avais intitulé *La Vie oh là là !*. Invité dans quelques radios pour en évoquer le contenu, je variais chaque fois ma façon de prononcer le titre. Un journaliste se piqua au jeu, et nous échangeâmes pendant quelques minutes des « vie oh là là ! » sur des registres différents. On se serait cru dans un conservatoire d'art dramatique au moment où le professeur fait passer des tests à des candidats.

Orthographe

« Je me souviens, écrit Nabokov, d'un dessin où l'on voyait un ramoneur, qui tombait du toit d'un haut immeuble, remarquer en passant une faute d'orthographe sur une enseigne et se demander, tout en poursuivant sa chute, pourquoi personne n'avait songé à la corriger » (*L'Art de la littérature et le bon sens*).

Sans avoir jamais glissé d'un toit, je suis ce ramoneur qui s'étonne que leurs rédacteurs fassent des fautes d'orthographe sur des enseignes, dans des publicités, sur la page d'accueil des sites Internet, sur des cartes de restaurant, etc. Je m'indigne qu'elles y restent, soit parce que personne ne les a remarquées, soit parce qu'on n'a pas voulu rectifier, cela ayant été jugé sans importance.

Au Centre de formation des journalistes, un professeur distribuait à chaque élève la même page d'un journal. Le jeu consistait à déceler le plus vite possible la coquille, la faute d'orthographe ou de français contenue dans les surtitres, les titres, les sous-titres ou les intertitres. Monique Dupuis, qui deviendrait Monique Pivot, y était quasi imbattable. J'avais aussi l'« œil typographique », mais il était moins rapide que le sien. Dans les effroyables dictées des *Dicos d'or* elle ne faisait jamais plus d'une ou deux fautes. Pour des raisons évidentes, il lui était impossible de concourir.

La vie est quand même bizarre puisque, alors que j'eusse été un mauvais pédagogue – à cause, en particulier, de mon impatience chronique –, j'ai fait la dictée pendant vingt ans à des téléspectateurs de tous âges, de toutes cultures, de toutes conditions. Cela m'a valu la reconnaissance et même l'affection de beaucoup de professeurs de français des écoles et des collèges, et l'inimitié de certains pontes de l'Éducation nationale qui étaient hostiles à cet exercice jugé vieillot, incompatible avec un enseignement moderne dont ils s'efforçaient de l'expulser.

J'ai raconté dans le texte d'introduction de mes *Dictées* comment sont nés et se sont imposés à la télévision les championnats de France d'orthographe, devenus ensuite *Les Dicos d'or*. C'était somme toute un jeu national. Tous les Français et francophones pouvaient y jouer, souvent en famille. Rien n'était plus anti-télégénique que le lent énoncé du texte de la dictée, la répétition des bouts de phrase, ma traînante déambulation entre les candidats penchés sur leurs feuilles, mais deux millions de téléspectateurs aimaient ça. Ils étaient encore plus nombreux à l'heure du corrigé et du palmarès. Ce qui prouve que, même si pour de multiples raisons l'orthographe est en déliquescence chez les lycéens et les étudiants, elle n'est pas unanimement considérée comme une valeur obsolète, ainsi que certains voudraient nous le faire croire. Mais l'on est bien obligé de constater qu'elle ne jouit plus du prestige qui était le sien et qu'elle est tenue aujourd'hui par beaucoup de gens, surtout les jeunes, pour qualité négligeable, superflue.

Autrefois, cinq fautes à la dictée vous privaient du certificat d'études, même si votre devoir de maths était parfait. Ce règlement qui faisait de l'orthographe la valeur suprême était absurde. On peut être très intelligent et trébucher sur la graphie de certains mots et l'accord des participes passés. Mieux vaut avoir un incontestable talent d'écrivain et commettre des fautes dans l'écriture des mots qu'avoir une orthographe irréprochable mise au service d'un style médiocre. Il y aura toujours des correcteurs – hommes ou ordinateurs – pour redresser votre orthographe, alors que personne ne vous tiendra la main pour vous donner du talent.

Il n'est cependant pas interdit, il est même recommandé, d'avoir une écriture à la fois brillante et correcte, sans clichés et sans fautes.

Le malheur veut que, de l'orthographe valeur quasi sacrée, nous soyons passés en quelques décennies à l'orthographe considérée comme valeur facultative et ornementale. Nous avons versé d'un excès dans un autre. De sorte que ce n'est pas le ramoneur de Nabokov qui tombe de haut, mais l'orthographe elle-même.

À propos…

Il arrive souvent que je sois interpellé par des groupes de personnes qui me suggèrent de leur faire une dictée sur le ton de « Vous nous chanterez bien une petite chanson ? ». Si j'acceptais, certains seraient probablement fort ennuyés. Une fois, j'ai regretté de ne pas avoir donné suite. C'était chez Jo, resto populo-branché, au bord de l'eau, à la pointe du Layet, à Cavalaire. On y prépare la bouillabaisse dans d'immenses chaudrons chauffés au bois. Une quinzaine d'hommes costauds et rieurs occupaient une longue table. C'étaient, disait-on, des jeunes patrons et cadres du département. Il était curieux qu'il n'y eût pas de femmes. L'un d'eux me demanda de leur faire une dictée. « Pivot, une dictée ! Pivot, une dictée ! » reprirent-ils en chœur. Évidemment, en souriant, je me défilai. J'appris trop tard que ces joyeux clients étaient les gardes du corps de Nicolas Sarkozy qui, dès le lendemain, serait en vacances au cap Nègre voisin.

> Dictée

Ortolan

Le célèbre « Et nous donc ? Crois-tu que nous mangions des ortolans ? » de Balzac (*Les Ressources de Quinola*) suffit à prouver que l'ortolan est depuis longtemps un oiseau coûteux, recherché des gourmets, et servi en de rares occasions. La plupart des Français, sauf ceux du Sud-Ouest et de la festive société parisienne, n'en ont jamais mangé. Interdit de chasse et de vente, l'ortolan a même disparu – officiellement – de la table. La prohibition, son commerce clandestin et sa consommation locale entre initiés ajoutent une saveur sauvage à l'explosion de sucs produite par la lente mastication du petit oiseau enfourné d'un coup, tout entier, dans la bouche. Il n'en reste rien, hormis les minuscules tête et bec que les délicats montrent quelque réticence à introduire dans leur propre bec, avec le corps du délit.

L'ortolan est le contraire de l'artichaut dont les reliefs forment une montagne. L'ortolan est un oiseau propre qui ne laisse rien derrière lui.

Pourtant, La Fontaine a écrit dans la fable *Le Rat de ville et le Rat des champs* :

> *« Autrefois le Rat de ville*
> *Invita le Rat des champs,*
> *D'une façon fort civile,*
> *À des reliefs d'ortolans. »*

Plus loin, le fabuliste parle d'un festin, et même d'un festin « de Roi ». Il y a donc eu à manger. Du très bon, et suffisamment pour que le Rat des champs se sentît honoré et comblé par l'invitation. Cela prouve, premièrement, qu'au XVIIe siècle l'ortolan était déjà un gibier pour menus exceptionnels et, deuxièmement, qu'on ne le mangeait pas avec notre expéditive voracité. On devait en lever les filaments de chair avec un soin fort méticuleux. Revenaient aux rats la tête, le bec, les pattes, les petits os et la chair restée attachée, le gésier retiré avant la cuisson, et tout ce que les seigneurs et maîtres, blasés, repus, abandonnaient dans l'assiette, peut-être des ortolans entiers. Chez son protecteur et ami Fouquet, La Fontaine avait appris les usages de la grande cuisine.

À propos...

À l'ortolan, Brillat-Savarin préférait le becfigue, passereau migrateur qui doit sa chair savoureuse aux fruits, en particulier les figues, qu'il consomme avec une gourmandise effrénée.

Le becfigue était aussi le petit oiseau préféré du roi de Naples, nous apprend Alexandre Dumas dans son *Grand Dictionnaire de cuisine*. Lorsqu'un vol se posait non loin de son château, on devait aussitôt l'en avertir, la chasse ayant une priorité absolue sur toutes ses autres activités. Un jour, il tenait conseil sur la décision d'engager une guerre ou non contre la France – la reine était pour, il était contre – quand on l'informa qu'un « magnifique vol de becfigues venait de s'abattre à Capodimonte ». Aussitôt, il planta la reine et les conseillers. La guerre faillit lui coûter son trône.

Ouille !

Onomatopée très proche de *aïe !* puisqu'elle exprime aussi de la douleur, de l'appréhension, ou, plus rarement, de la surprise. Quand on a très très très mal ou qu'on est très très très inquiet, on dit : « Ouille ouille ouille ! » (prononcer ouyouyouille).

Hormis les chatouilles et les papouilles, qui sont, elles, fort agréables, les mots se terminant par *-ouille* sont généralement dépréciatifs : arsouille, fripouille, pedzouille, souille, épouille, dépouille, andouille, niquedouille, bredouille, carabistouille, gribouille, tripatouille, embrouille, gâtouille, écrabouille, etc.

À tout le moins, *-ouille* est un suffixe qui ne fait pas sérieux. Il ajoute de l'ironie ou de la drôlerie. Ainsi la fameuse question du docteur Knock à l'un de ses clients : « Attention. Ne confondons pas. Est-ce que ça vous chatouille ou est-ce que ça vous gratouille ? » Le comique vient du double *-ouille* des deux verbes. Remplacez « ça vous gratouille » par « ça vous gratte », et l'on ne rit plus.

Charles de Gaulle s'est peut-être souvenu de la méthode en

-ouille de Jules Romains quand il se moqua des journalistes en ces termes : « Tout ce qui grouille, grenouille et scribouille n'a pas de conséquence historique dans ces grandes circonstances, pas plus que cela n'en eut jamais dans d'autres. »

À ses débuts, la ratatouille était exécrable. Un ragoût de mauvaise cuisine. Pis : son diminutif, *rata.* « C'est pas d'la soupe, c'est du rata, c'est pas d'la merde, mais ça viendra ! » chantaient les soldats. La ratatouille est ensuite devenue un mélange provençal, estival, de tomates, de courgettes, d'aubergines, de poivrons et d'oignons cuits à l'huile d'olive. Il faut qu'elle soit savoureuse, la ratatouille niçoise, pour faire oublier les origines calamiteuses du mot et son acception violente – *prendre une ratatouille*, prendre une volée de coups – ou méprisante – « on leur a fichu une ratatouille », on les a battus par un score cuisant. Enfin, le film d'animation *Ratatouille*, de Brad Bird, grâce au génial et sympathique rat cuisinier Rémy, sorti des studios américains de Pixar et des égouts parisiens, acheva de réhabiliter le mot.

Mais pour obtenir le mot en *-ouille* le plus populaire, il suffit d'ajouter un *c* devant. La *couille*, ou plutôt les *couilles*, car elles vont par deux, l'homme se glorifiant d'avoir la paire. Il ne se targue pas d'avoir une paire de génitoires ou de testicules alors qu'il fait volontiers référence à sa *paire de couilles.* Il affirme ainsi sa virilité. Et son courage de mâle : *avoir des couilles.* Et, encore plus dynamique, encore plus vulgaire, et même, si l'on ne craint pas les tête-à-queue, encore plus crâne : *avoir des couilles au cul.* D'ailleurs, si l'on veut exprimer un refus viril, catégorique, on s'exclame : *mes couilles !*

Variante : *mon cul !* On notera la perfide méchanceté de Flaubert qui, pour mieux accabler Lamartine, remplace tout simplement la virilité par le mot couille au singulier : « C'est un esprit eunuque, la couille lui manque, il n'a jamais pissé que de l'eau claire » (lettre à Louise Colet du 20 avril 1853).

Cependant la dépréciation fatale de *-ouille* frappe aussi les couilles. Elles ne sont pas toujours sûres d'elles et arrogantes. *Une couille molle*, *en avoir plein les couilles* (agacement maximum), *casser les couilles*, ou les burnes ou les bonbons (ennuyer, importuner jusqu'à l'exaspération).

Plus grave : une couille dans le déroulement d'une action, c'est une erreur, un échec. « Il y a eu une couille quelque part et tout a foiré. » L'expression *partir en couilles* signifie que l'opération s'est délitée et a été ratée. *C'est de la couille !* Ça ne vaut rien ! Que faire, en effet, avec une seule couille ? Peau de balle et balai de crin !

À propos…

Ouille ! J'ai failli oublier tout au long de ce pot-bouille que, pour notre oreille enchantée, les oiseaux, les ruisseaux et les bébés gazouillent.

> Carabistouille, Cul

Papillote

Pas le bigoudi, la friandise.

Comme tous les enfants, il avait mis ses sabots devant la cheminée. Il n'espérait pas grand-chose du père Noël. C'était la guerre, et il n'était qu'un garçon de l'Assistance publique placé chez un couple de viticulteurs. Habitué aux taloches, aux réprimandes, aux rebuffades, en découvrant dans ses chaussures quelques papillotes au papier argenté, il manifesta une joie spontanée. Il se laissa aller à un instant de bonheur avant de savourer les douceurs, chocolats ou bonbons, promises par les papillotes. Mais, de la première, ouverte avec impatience, ne s'échappèrent que des crottes de bique…

Je n'ai jamais oublié les papillotes garnies aux excréments de chèvre parce que c'était la première fois que je voyais à l'œuvre la méchanceté humaine. Ce garçon était un peu plus âgé que moi et, moi qui avais reçu du père Noël – je feignais encore d'y croire par connivence amoureuse avec ma mère – des oranges et de vraies papillotes, je fus horrifié par un acte aussi pervers. J'en ressentis la moquerie et l'humiliation. Je saurais désormais distinguer la cruauté naturelle de l'homme – dont la manifestation la plus répandue est de tuer les animaux pour les manger – et la cruauté sans autre raison, sans autre dessein que de faire souffrir. La guerre n'était-elle pas aussi un effet de nos mauvais instincts ? Je ne crois pas que cela me soit apparu aussi clairement que les papillotes de Noël aux crottes de bique.

Les papillotes viendraient de l'Europe de l'Est. Dans la région Rhône-Alpes, où l'on en consomme plus qu'ailleurs, l'histoire ou la légende en attribue l'invention à un pâtissier lyonnais de la rue du Bât-d'Argent. Ou plutôt à son commis. Il chipait des chocolats qu'il entourait d'un billet galant destiné à sa bien-aimée. Le patron surprit le doux commerce, renvoya son commis, mais conserva son stratagème. Il s'appelait Papillot.

Une papillote est constituée d'un chocolat entouré d'un petit papier sur lequel est imprimé une blague, un rébus, un dessin humoristique, une devinette, une citation, une devise ou un proverbe. Le tout est placé à l'intérieur d'un papier de couleur, brillant, torsadé, frangé aux deux extrémités. C'est une parure de fête. Une friandise bling-bling. Sur les nappes qui recouvrent les tables de Noël et du jour de l'an, on fait des chemins de papillotes. On en glisse dans les serviettes. On en offre des sacs. On les ouvre autant par curiosité pour le message que par gourmandise pour les ganaches et l'enrobage des palets.

Les chocolats des papillotes n'ont jamais été aussi bons. Mais Révillon, le principal fabricant, a abandonné les blagues et calembours de l'almanach Vermot qui nous faisaient rire. C'était souvent, il est vrai, des plaisanteries misogynes. Les ligues féministes ont protesté. Maintenant, on nous sert des pensées de Pythagore, de Sénèque, de Pascal, de La Rochefoucauld, de Corneille, de Chateaubriand, de Molière, de Renan… Le Lagarde et Michard a envahi les papillotes.

Perpète (à)

Apocope ou forme abrégée de *à perpétuité*, c'est-à-dire pour toujours. Toujours, c'est long. Très long, trop long. On voudrait écourter. C'est ce qu'a fait le langage populaire avec *perpète*, approximative moitié de perpétuité. Le condamné à perpète paraît avoir une chance de ne pas faire toute sa peine. *À perpète* (ou *à perpette*) est un raccourci compassionnel.

À rapprocher du mot fameux de Woody Allen : « L'éternité c'est long, surtout vers la fin. »

La locution argotique a débordé du temps pour s'imposer aussi dans l'espace. *À perpète* signifie alors très très loin : « Ah ! non, je n'irai pas, c'est à perpète ! »

> Apocope

Peu importe

Je m'efforce de lutter contre cette locution. Parce qu'elle est une scorie de l'âge.

On évoque des souvenirs, on raconte en donnant beaucoup de détails, on ouvre une parenthèse, on s'aperçoit qu'on est trop long et que l'auditoire s'y perd. Alors on referme subitement la parenthèse en disant : « Peu importe ! » Et l'on en revient au propos initial.

Ou bien, tout à coup, c'est la mémoire qui fait défaut. On bute sur un nom, sur un titre, sur une date. Quelqu'un suggère ceci, un autre cela. Non, ce n'est pas ça. On cherche, on s'énerve. Et puis on abandonne : « Enfin, peu importe ! »

Constat d'échec, « peu importe » est la conséquence chez les vieux d'une parole longue et embrouillée ou d'une perte de mémoire. Maîtriser la première est plus faisable qu'alimenter la seconde. J'en parlais à des amis plus jeunes que moi. Et j'en suis venu à leur dire, j'ouvre des guillemets, que « l'avantage de la mauvaise mémoire est qu'on jouit plusieurs fois des mêmes choses pour la première fois ». C'est une phrase de… Voyons, son nom m'échappe, non, ce n'est pas Montaigne. Non, Proust, non plus. C'est un philosophe. Enfin, peu importe !

> Mémoire

Philistin

Un philistin est une personne obtuse, qui se fiche des arts et des lettres et qui ne craint pas d'afficher son mauvais goût. Le mot a disparu des textes et des conversations. Heureusement, Nabokov veillait. Il l'emploie d'abondance dans ses commentaires sur *Madame Bovary* : « Lorsqu'il ne signifie pas tout bonnement "citadin" (qui habite le bourg), "bourgeois", pour Flaubert, veut dire "philistin", personne qui ne se préoccupe que de l'aspect matériel des choses et n'adhère qu'aux valeurs conventionnelles » (*Littératures*).

Pour Nabokov, un fonctionnaire soviétique, à quelque niveau qu'il se trouvât, représentait « le type parfait de l'esprit bourgeois, du philistin ».

Quand il analyse *Du côté de chez Swann*, de Marcel Proust, il qualifie le salon de Mme Verdurin de « philistin ».

Vladimir Nabokov détestait tellement les philistins qu'il leur a consacré un texte spécial intitulé « Des philistins et du philistinisme ». Il commence ainsi : « Un philistin est un adulte dont les ambitions sont de nature matérialiste et ordinaire, et dont la mentalité épouse les idées toutes faites et les idéaux conformistes de son milieu et de son temps. » Il relève en particulier qu'un philistin est souvent un snob. « La fortune et le rang social l'hypnotisent. "Chéri, tu sais, j'ai *vraiment* parlé à une duchesse !" »

À propos...

Les Philistins sont des Indo-Européens. Ils se sont installés sur la côte de la Palestine (le pays des Philistins). C'est David (vers 1010-vers 970 av. J.-C.), à la tête des Israélites, qui les vainquit et les asservit. Mais si le mot *philistin* est devenu péjoratif, c'est à cause des étudiants allemands qui, dans leur argot, appelaient *Philister* « celui qui n'a pas fréquenté les universités ».

Photo

Non, ce n'est pas une photo perdue, ni ratée. Elle n'existe pas, elle n'a jamais été prise. C'est un manque, une absence, un trou virtuel dans l'album de famille. Mon frère, ma sœur et moi l'avons cherchée dans les cartons à chaussures où s'entassent pêle-mêle les photos de nos grands-parents, de nos parents, de notre enfance, dans les classeurs où les meilleures ont eu le privilège d'une datation et d'une localisation, dans des tiroirs oubliés ; nous l'avons traquée, cette photo que j'aurais si fort aimé avoir sous les yeux. Mais personne ne s'en souvenait. Nous en avons conclu que c'était, hélas ! parce qu'elle n'avait jamais existé que nous ne l'avions jamais vue.

Mon regret s'avive chaque fois que j'entre dans une vieille brasserie et qu'y sont encadrées sur les murs des photos de la première moitié du XXe siècle prises devant l'établissement. Chapeau, moustaches, costume trois pièces, montre de gousset, le patron pose avec fierté au milieu de la brigade des cuistots et des serveurs à large tablier blanc. L'écailler devant son banc d'huîtres et de fruits de mer porte une casquette.

Sur les glaces s'affichent les prix du café, du bock, du Picon, du repas avec ou sans vin…

Des dizaines de milliers de photographies anciennes représentent des devantures de bistros, de cafés, de commerces de bouche, de coiffeurs, de bougnats, de pharmacies, de magasins de confection, de cordonneries, de boutiques de toute nature, devant lesquelles ont été réunis pour la circonstance patrons, artisans et employés. Mais je n'ai jamais vu sur une photo la seule devanture qui me ferait aujourd'hui plonger dans la nostalgie : celle de l'épicerie familiale, Aux bons produits, 42, avenue du Maréchal-Foch, Lyon, 6e arrondissement.

Ce n'était pourtant pas si loin : les années cinquante. Je ne me rappelle pas la présence à cette époque d'un appareil entre les mains de mes parents. Les photos entretenaient le souvenir des défunts, mais, hormis pendant les vacances, contribuaient peu à la joie des vivants. On ne manquait cependant pas de commenter avec gaîté les photos de famille et d'amis prises par des tiers, et de ressortir, les dimanches pluvieux, les albums de photos de mariage, de baptême, de première communion faites par des professionnels. Mais nous ne participions pas, ou très peu, à l'établissement d'une iconographie intime.

L'idée de photographier la devanture de l'épicerie ne pouvait pas venir de ceux qui y travaillaient. Peut-être l'intention leur aurait-elle paru bizarre. Surtout si avaient été rassemblés devant les pyramides d'oranges ou de pommes, ou devant les rouges rectangles des cagettes de tomates et de fraises dressées à l'oblique, ma mère, dont la physionomie exprimait l'énergie et l'autorité, mon père et sa blouse grise, les vendeuses, Mathilde, d'une fidélité absolue, bougonne, qui « avait ses têtes » dans la clientèle, Marguerite, souriante, affectueuse et toujours disponible, enfin le commis, rigolard, assis sur son triporteur.

Il est tant d'instants de la vie dont nous regrettons qu'il ne reste aucune trace. Que de photos qui n'ont pas été prises, qui, longtemps après, réveilleraient notre mémoire. Nos mains ne peuvent tirer d'aucune boîte des preuves irréfutables de moments dont des photos, même médiocres, nous restitueraient le charme ou l'émotion. « Oh ! regarde, comme c'est dommage, la photo est un peu floue. » Et notre mémoire, alors ! Les nouveaux appareils éliminent la maladresse, l'aléatoire, l'inintérêt. Du présent déjà basculé dans le passé on ne retient que ce que l'on veut. Cadré, clair et net. On photographie tout et tout le temps. L'histoire des familles et de chacun est à foison, à la carte. En veux-tu, en voilà, on aura du passé sur papier ou sur ordinateur. Qui, aujourd'hui, pourrait oublier de photographier ses parents devant leur boutique, ou négligerait de laisser à ses enfants et petits-enfants la photo de leur bout de trottoir avec son étalage et sa bâche ?

J'ai durement éprouvé l'absence de cette photo quand, pour mon portrait dans un numéro d'*Empreintes*, je suis allé tourner à Lyon sur les lieux de ma jeunesse. Quoi ! la belle épicerie familiale, c'était ça, cette vitrine étroite, minable, ce local exigu où travaillaient deux employées d'une société financière ? Ne m'étais-je pas trompé d'adresse ? Mais non, nous y étions, pas d'erreur possible. Donnez-moi une photo. Que je compare ! Que je confronte ! Que j'assigne la porte en faux et usage de faux ! Que je traîne devant les tribunaux les nouveaux locataires pour détérioration volontaire de lieux de mémoire !

Désolé, Bernard, il n'y a pas de photo…

Pianiste

Elle aurait pu regarder le piano du restaurant avec hostilité. En jouer pendant que les clients mangeaient, buvaient, parlaient, riaient trop fort, n'était pas un sort enviable. Mais elle s'était accoutumée à cette manière désobligeante pour elle et pour le piano de manifester leur talent. Tandis qu'elle rangeait son sac, son chapeau et son manteau, elle le fixait avec un sourire complice. Ce n'était pas le meilleur qu'elle ait eu à faire chanter de ses dix doigts, mais elle-même n'était plus, et depuis longtemps, une pianiste à l'agenda noirci comme une partition de Bach.

Même si elle était quelquefois applaudie parce qu'elle avait choisi un air qui plaisait aux clients d'une table, elle jouait dans l'inattention générale. Elle était chichement payée pour ajouter des bruits harmonieux à la cacophonie du restaurant. C'était son modeste boulot. Elle ne se plaignait pas, et moins encore enrageait contre ces mufles qui bâfraient sans prêter attention à sa musique. Au contraire, elle paraissait heureuse, son visage comme illuminé par les sons qu'elle tirait allègrement du piano, appliquée à jouer le mieux possible, concentrée sur son art et sa technique, indifférente à l'indifférence qui l'entourait. Et c'était ce plaisir et cette joie étranges, presque déplacés, inexplicables, qui piquaient la curiosité de quelques déjeuneurs et dîneurs, les rendaient tout à coup attentifs à la vieille pianiste, et même, suspendant leur fourchette, les touchaient au cœur.

Elle jouait presque toujours les mêmes morceaux, mais jamais dans le même ordre. *Summertime*, *La Vie en rose*, *Night and day*, *Les Feuilles mortes*, *La Mer*, *Lady be good*, *Je suis venu te dire que je m'en vais*, *Avec le temps*, *Is this love*. Quoi d'autre ? L'*allegro agitato* du *Concerto en* fa de Gershwin, *Le Bal chez Temporel*, *Le Petit Vin blanc*, *Plaisir d'amour*, *Que sera, sera*. Quoi encore ? *Caravane*, une valse de Chopin, *Pigalle*, *There will never be another you*, *Au café du canal*, *The man I love*, etc. Programme très éclectique. Comme la vie. Comme sa vie. Qu'elle racontait à travers ce qu'elle jouait. Chaque air, chaque chanson évoquait un épisode de son existence, la couleur d'un souvenir, la violence ou la douceur d'une émotion. Elle interprétait au piano son autobiographie en variant chaque fois la chronologie. Elle était ailleurs, à Paris, à New York, à Bratislava, à Berlin, à Varsovie, à Venise ; elle était tout entière dans sa mémoire, dans l'invincible charme de la mélancolie, dans une bienheureuse nostalgie ; et elle se fichait bien qu'à deux mètres d'elle quelqu'un réclamât bruyamment de la moutarde puisque, corps et âme dans sa ressouvenance musicale, elle ne l'entendait pas.

Pimbêche

Chez Robert, on dit qu'on ne sait pas d'où vient le mot. Chez Larousse, on avance timidement que, peut-être, il serait la contraction de *pincer* et de *bêcher*. Pincer, parce qu'une pimbêche prend souvent des airs pincés ? Bêcher, parce que c'est une bêcheuse ? Ouais… De l'étymologie à la va-comme-je-te-pousse.

Nous avons tous connu des pimbêches, surtout des jeunes filles et surtout dans les anciennes générations. Hautaines, distantes, très maniérées… Queue de cheval haut perchée… De la condescendance dans l'œil vertueux ou sur les lèvres sèches… Ce mot de *pimbêche* leur va bien. Mieux que *chichiteuse* et *chipie*, qui les rendraient amusantes, ou *pécore* et *péronnelle*, bavardes.

Peut-être est-ce parce que, dans mon adolescence, j'ai souffert de l'indifférence de quelques pimbêches que je me délecte de ce mot qui me venge ?

Charles Dantzig : « Une Française ou une Américaine quand elles sont belles se croient obligées d'être des pimbêches. »

À propos…

Dans sa comédie *Les Plaideurs*, Racine met en scène la comtesse de Pimbêche, chicaneuse acharnée qui conduit depuis trente ans des procès contre tout le monde, entre autres son père, son mari et ses enfants. Et voilà qu'un arrêt lui interdit désormais de plaider ! Colère de la dame. C'est comme si on l'empêchait de respirer. Que peut-elle faire ? Plaider contre, pardi !

Poularde demi-deuil

Après le « grand deuil », le temps apaisant la douleur, les femmes se mettaient au « demi-deuil ». Si le défunt n'était pas un parent proche, elles portaient tout de suite des vêtements dont les couleurs – du blanc, du gris ou du violet accordés au noir – marquaient une moitié de chagrin.

De même, la poularde est demi-deuil parce que entre sa peau et sa chair blanche et grasse, des lamelles de truffe noire ont été glissées, notamment sur les cuisses et sur toute la longueur des filets. Le grand deuil de la volaille coûterait trop cher et serait difficile à obtenir. À l'exemple du demi-deuil qui redonnait aux femmes toute leur séduction, le noir et blanc met la poularde en beauté. Et l'homme en appétit. Paul Bocuse a été et reste le veuf préféré de la poularde demi-deuil.

À propos…

Le 11 janvier 2005, lors de mon premier déjeuner avec les membres de l'académie Goncourt, le chef lyonnais Jean-Paul Lacombe était venu spécialement chez Drouant, à l'invitation du chef de l'époque, Louis Grondard, faire une poularde de Bresse pochée « genre demi-deuil ». Elle avait très bon genre.

Prédateur

L'équipe technique arrivait vers neuf heures. Les câbles, les caméras, les trépieds, les projecteurs, le moniteur de contrôle, les cantines en aluminium remplies de câbles plus petits, de micros, de mandarines et de blondes (spots), de réflecteurs, d'objectifs, de gaffeurs, de borniols, de volets, bref, tout ce qui constitue le « matos » pour un tournage chez l'écrivain. La table est poussée, un guéridon éliminé, les fauteuils déplacés, une fenêtre obscurcie, des bibelots enlevés, le bureau tourné, des livres chassés, d'autres pris dans la bibliothèque et mis en pile. Le réalisateur recherche le meilleur axe, le meilleur décor, la meilleure lumière. On rajoute, on retire, on déplace encore, on pousse ceci ou cela un peu plus à gauche ou un peu plus à droite. On fignole. L'image sera parfaite.

En dépit des propos enthousiastes et rassurants du réalisateur, l'écrivain est inquiet. Parfois, effaré. Il a l'impression d'avoir livré son sacro-saint bureau, son douillet tabernacle où sont nés tous ses chefs-d'œuvre, à une horde de vandales. « Monsieur, ne vous inquiétez pas, lui dit le réalisateur. Quand l'enregistrement sera terminé, nous remettrons chaque chose à sa place. Nous avons l'habitude. » Ce qui est vrai. Mais, en attendant, le désordre s'est installé chez l'écrivain. Il n'aime pas le désordre, surtout quand les premiers essais de lumière font sauter son installation électrique… « Monsieur, ne vous inquiétez pas, notre chef électro va réparer tout ça. Puis-je vous demander où est votre compteur ? »

J'arrivais chez l'écrivain environ une heure et demie après l'équipe technique, quand celle-ci était quasiment prête à tourner. Propos d'accueil, quelques conseils et encouragements. On prenait place. L'un en face de l'autre. Essais de son et d'image. Il ne s'était pas passé un quart d'heure que l'entretien commençait. Sans interruption ou presque – pour des raisons techniques et pas plus d'une ou deux minutes – jusqu'à la fin, soit environ de soixante-quinze à quatre-vingts minutes.

C'était « dans la boîte » ! Pendant que le réalisateur et moi félicitions l'écrivain, l'équipe technique commençait à démonter et à ranger. Le plus souvent, une boisson nous était servie. Nous revenions sur quelques moments forts de la conversation. Chargement de la voiture. Dernières choses remises à leur place. « Laissez, laissez, disait l'écrivain, je terminerai. » Puis nous prenions congé. « Bravo, encore ! Merci de nous avoir reçus. L'émission est programmée le... Nous vous enverrons une cassette. »

Je repartais heureux comme un voleur qui a réussi son coup. Ou plutôt comme un prédateur qui a fichu la pagaïe dans un logis, dans une mémoire, dans une vie. Certes, l'effraction était autorisée, mais quel sans-gêne dans notre occupation du territoire ! Et quelle rapacité derrière mes questions aimables ! Et comme était forte l'impression que j'avais d'emporter un butin !

Même le journaliste qui n'est armé que d'un stylo et d'un carnet repart de chez l'écrivain – surtout de chez les écrivains, qui sont le plus souvent des êtres pacifiques et retirés – avec le sentiment d'avoir exercé à son domicile une activité de prédateur. J'ai aussi ressenti cela à la lecture des visites de Jérôme Garcin à vingt-sept écrivains (*Les livres ont un visage*). Les très beaux récits qu'il en a tirés, autant de cadeaux à ses « victimes », ne parviennent cependant pas à masquer tout à fait ce qu'il y a de brigandage dans ces irruptions dans leur intimité.

Prière

Ô vous, hommes et femmes dont les noms sont gravés sur la pierre au-dessous de laquelle je deviendrai charogne, puis squelette, enfin poussière d'entre vos poussières, ne me jugez qu'avec la tendresse que vous manifestiez au meilleur de vos jours.

N'ouvrez pas le gros livre où vous avez consigné mes forfaitures et mes défaillances, mes scélératesses et mes fautes, mes lâchetés et mes négligences, car, seriez-vous tentés d'en proposer quelques pages à ma lecture, je n'emporterai pas de lunettes. Récompensez-moi d'avoir beaucoup lu sur terre en me dispensant de lire dessous le livre de mon indignité.

Recevez-moi comme un fils, comme un petit-fils, comme un petit-neveu ou un cousin. À votre admiration je préfère votre affection ; à votre étonnement, votre bonté ; à votre fierté que je sois des vôtres, votre tolérance que vous soyez des miens.

Vous qui savez, troglodytes sous chrysanthèmes, si l'au-delà se limite à notre pré carré ou si notre tombe est l'antichambre d'un palais des merveilles ou le sas d'une mer dans laquelle les dauphins jouent avec les anges, attendez, je vous prie, puisque c'était mon métier de poser des questions, que je vous demande si Dieu est une chimère ou l'avéré Tout-Puissant.

Vous qui détenez le secret, ce secret serait-il de n'en être pas un, ne vous moquez pas de mon pauvre savoir, ne riez pas de mes peurs, ne vous gaussez pas de mon scepticisme ou de ma crédulité, je n'aurai été qu'un songe-creux errant dans un monde exténué d'affectation et de vanité.

Ô vous, hommes et femmes dont les noms sont gravés sur la pierre au-dessous de laquelle je deviendrai charogne, puis squelette, enfin poussière d'entre vos poussières, accueillez-moi avec amour.

Ainsi soit-il.

> Foi

Quenelle de brochet

Les quenelles de brochet constituaient l'entrée immuable du déjeuner de famille du jour de Noël. Pourquoi ma mère s'en serait-elle écartée alors qu'elle était assurée de triompher, comme chaque année, avec ce plat traditionnel de la cuisine lyonnaise ?

Elle avait longtemps vendu avec succès dans l'épicerie familiale des quenelles qu'elle faisait elle-même selon une recette de son invention. La clientèle, qui n'était pas composée que de flagorneurs, les jugeait plus fines, d'un goût plus subtil que les quenelles des enseignes renommées de la ville. Puis elle n'eut plus le temps de fabriquer elle-même la pâte et de la mélanger avec la chair pilée des brochets de la Dombes. Elle en confia la recette et la réalisation à un boucher de ses amis.

Il arrivait à la cuisinière d'opter pour les quenelles dites Nantua, accompagnées d'une sauce aux écrevisses. Mais c'était une préparation plus classique qu'elle préférait : quenelles gratinées, avec une béchamel crémée à laquelle elle ajoutait du concentré de tomates. Bien rangées dans une cocotte en fonte, sous l'action de la chaleur les petits fuseaux de pâte blanche légèrement jaunie triplaient ou quadruplaient de volume, de sorte que lorsque la cuisinière posait la cocotte sur la table, on voyait les quenelles du haut, dodues, bombées, soulever le lourd couvercle pour saluer les personnes qu'elles allaient régaler et pour ne pas laisser à la cuisinière le monopole des compliments.

Question

Le fait de passer toute sa vie professionnelle à poser des questions a-t-il des répercussions sur la vie privée ? Bonne question. Oui, bien sûr. Je suppose que les policiers, les juges d'instruction, les sondeurs, etc., sont, comme les journalistes, enquêteurs ou intervieweurs, enclins à user souvent de la phrase interrogative dans leurs relations personnelles, et peut-être même jusque dans leurs rêves.

Suis-je accro à la « questionnite » ? Intoxiqué, même. J'ai toujours une question au bord des lèvres. Destinée aux autres ou à moi. Ne pas la poser est très frustrant. N'y recevoir aucune réponse m'embête ou me chagrine.

Avec moi, c'est tout un micmac. Je me pose des questions et, comme je n'aime pas répondre, je diffère, je ruse, je fuis, j'oublie. Ces dérobades m'agacent. Et, à la fin, j'en reviens toujours à cette question : « Est-il bien honnête de ne pas répondre à tes propres questions alors que ton métier est d'en poser aux autres, d'exiger d'eux des réponses, pour lesquelles d'ailleurs tu es rétribué ? » Pardon, mais il y a une grande différence : tes réponses à tes questions ont peu de chances de te surprendre, ou si elles te surprennent elles vont créer chez toi du trouble, alors que les questions posées aux autres sont susceptibles de t'étonner, de t'amuser, de t'instruire, sans pour autant t'empoisonner l'existence. L'individu le moins intéressant et le plus dangereux à questionner, c'est toi-même.

Que je bombarde de questions la personne dont je viens de faire la connaissance ne la déconcerte pas. Elle m'a vu dans cet emploi à la télévision pendant de nombreuses années. Il n'y a pas de caméras, mais elle se retrouve devant une figure familière, dans une figure archiconnue. Elle se sent même flattée que je m'intéresse si longuement à elle. C'est normal, après tout, puisque mon métier est de poser des questions. Je suis dans mon rôle, elle dans le sien. Je possède une légitimité à me montrer insistant. Et indiscret. Parfois, quand même, si cette personne me paraît décevante, je me force.

Il arrive que je passe tout un déjeuner à écouter une personne parler d'elle-même sans qu'à aucun moment elle ne songe à me poser une question, donc à s'intéresser un seul instant au type assis en face d'elle, tellement passionné par son histoire et ses histoires. Mais les invités de mes émissions me posaient-ils des questions ? Jamais. Cette personne reproduit dans le privé un schéma qu'elle a vu fonctionner mille fois à la télévision.

Avec les intimes, le questionneur invétéré risque de paraître insupportable. Toujours à demander ceci ou cela, où et quand, pourquoi et comment. Avec qui ? Dans quelle intention ? Avec quelle idée derrière la tête ? Pour quel avantage ? Quels risques ? Et maintenant ? Et après ? Et si… ? Et si de nouveau… ? Et au cas où… ? Et si jamais… ?

– Marre, marre, j'en ai marre de tes questions !

Dans le jeu de la séduction, les questions sont au début les bienvenues. Elles sont même nécessaires pour entrer dans la tête, le cœur et le sexe de l'autre. Mais il y a pour chacun des limites à ne pas franchir. Où se situent-elles ? Il arrive un moment où les questions butent sur un mur. Il serait dangereux de les faire rebondir comme des ballons. Les femmes prêtes à répondre à toutes les questions, qui ne s'en lassent pas, qui même en redemandent, et qui épuisent la curiosité d'abord, l'imagination ensuite, du questionneur, sont rarissimes. Le plus souvent, le secret est leur seconde peau. Qui s'y frotte s'y pique.

Il est dans mes intentions d'écrire un livre sur la vie privée d'un questionneur professionnel. Un enfer pour ses proches et pour lui. Mais mes années seront-elles encore assez nombreuses pour avoir le temps de mener ce projet à son terme ? Aurai-je assez de talent et d'humour pour traiter un sujet aussi excitant que périlleux ? Encore des questions ?

Questionnaire

À la fin de chaque *Bouillon de culture*, je posais dix questions à l'invité principal. Toujours les mêmes, de sorte qu'il avait eu tout le temps de préparer ses réponses. Lors de la dernière émission, j'ai répondu à mon propre questionnaire.

Dix ans après, certaines réponses ont changé.

1. Votre mot préféré ? Aujourd'hui.

2. Le mot que vous détestez ? Alzheimer.

3. Votre drogue favorite ? La lecture.

4. Le son, le bruit que vous aimez ? Le clic de l'arrivée d'un texto.

5. Le son, le bruit que vous détestez ? La rumeur malveillante.

6. Votre juron, gros mot ou blasphème favori ? Oh ! putain…

7. Homme ou femme pour illustrer un nouveau billet de banque ? Charles Dullin dans le rôle d'Harpagon.

8. Le métier que vous n'auriez pas aimé faire ? Directeur d'une chaîne de télévision ou entraîneur d'un club de football professionnel.

9. La plante, l'arbre ou l'animal dans lequel vous aimeriez être réincarné ? Un cep de la romanée-conti.

10. Si Dieu existe, qu'aimeriez-vous, après votre mort, l'entendre vous dire ? « Ah, Pivot ! Expliquez-moi comment on accorde les participes passés des verbes pronominaux, car, Moi, tout Dieu que Je suis, Je n'y ai jamais rien compris. »

À propos...

À la question « Votre mot préféré ? », Michel Serres répondit : « La grande spécialité de la langue française, c'est le *e* muet. Le meilleur mot sera le mot dans lequel il y aura le plus de *e*. Donc, ce sera *ensemencement*. En plus, c'est un mot de fécondité, d'agriculture et d'amour. »

> Aujourd'hui, Lecture

Quinteux, euse

Qui est sujet à des fâcheries subites. Il ou elle y cède comme à une quinte de toux. Quoique à notre connaissance il n'existe aucun sirop pour combattre l'adjectif *quinteux*, il a quasiment disparu. Léon Daudet, qui avait fait des études de médecine, l'employait volontiers : « Huysmans était excellent et atrabilaire, compatissant et féroce, railleur et quinteux (...). Aussi fine gueule qu'Huysmans, Mirbeau considérait celui-ci comme un vieil enfant quinteux... » (*Souvenirs littéraires*).

Quiproquo

Les mots sont des farceurs. Ils changent de sens comme de chemise ou de bonnet. Inutile de leur demander leurs papiers : ils en ont plein les poches. Ne pas se fier à leur apparence, à leur réputation. Ils aiment bien égarer l'auditeur ou le lecteur.

Ainsi, cette malheureuse aventure érotique qui utilise à mesure qu'elle avance les mots *suivez-moi-jeune-homme, gallant, embrasse, chambre à louer, pelotage, entrelacement, queue, fente passepoilée, trou-trou, mettre l'un dans l'autre, panne.*

Au vrai, il s'agit de mots bien innocents qui relèvent du domaine de la mode et de la couture.

Un *suivez-moi-jeune-homme* est un chapeau dont les longs rubans flottaient dans le dos des femmes.

Le *gallant* (avec deux *l*) est une embrasse de rideau.

La *chambre à louer* est un défaut de couture qui provoque une ouverture incongrue.

Le *pelotage* est un assemblage de fils sous la forme d'une pelote.

Entrelacement est un terme de tricotage.

La *queue* est la partie arrière, basse, de l'habit de cérémonie.

Quand elle est *passepoilée*, la *fente*, utilitaire ou ornementale, d'un vêtement est renforcée d'un cordonnet enveloppé dans du tissu.

Le *trou-trou* désigne en passementerie un galon dans lequel ont été pratiqués des petits jours.

Mettre l'un sur l'autre et *mettre l'un dans l'autre* sont deux expressions employées dans les travaux de couture.

Enfin, la *panne* est un tissu dont la confection imite celle du velours.

Ça y est, on est rhabillé ?

Raccord (c'est)

« C'est raccord », dit la scripte. Expression employée au cinéma et à la télévision pour indiquer que deux scènes qui n'ont pas été tournées à la suite ne présentent aucune différence dans le décor et l'apparence des personnages, et peuvent donc être raccordées au montage.

Au figuré, l'expression est pratique. On écrira du président de la République et de son Premier ministre que, sur telle affaire politique, ils sont raccord ou ne sont pas raccord. Les dissensions à la tête des entreprises viennent de ce que leurs dirigeants, après avoir adopté et mené ensemble une stratégie économique, divergent dans leurs conclusions et leurs nouveaux plans. Ils ne sont plus raccord. Ils ne sont plus d'accord.

C'est dans l'amour qu' « être raccord » présente à la longue le plus de difficultés. Dans les premiers temps de la passion, on est raccord sur tout, matin et soir. Gestes et paroles s'enchaînent naturellement. Pas besoin d'une scripte pour signaler une anomalie, une bizarrerie. Il n'y en a pas. Je t'aime, tu m'aimes : c'est raccord !

Et puis, au fil du temps, s'installent peu à peu les nuances, les variantes, les écarts, les distances, les particularités, les différences. Le couple est de moins en moins raccord. Ils le constatent. Ils se le disent. Ça les navre. Ils vont faire un effort. Quand ils sont pour une fois à l'unisson, ils disent : « Là-dessus, on est raccord. » Pas bon signe. Il y a désormais entre eux une scripte qui les surveille. Le film ira-t-il jusqu'au bout ?

Raspaillette (à la)

À la pétanque, le joueur qui tire à la raspaillette ne cherche pas à frapper directement la boule adverse, « en plein fer » comme disent les spécialistes. Il se contente de la lancer dans la direction souhaitée en la laissant rouler et rebondir et en espérant qu'au passage elle dégommera la boule visée. Tirer à la raspaillette (du provençal *raspaieto*, par ricochet) est autorisé, mais peu glorieux. Un tir à la raspaillette, même gagnant, est moqué par les « vrais » joueurs de pétanque.

J'ai entendu, de mes oreilles entendu, prononcer de nombreuses fois cette expression provençale à Addis-Abeba, sur la place de la gare, tandis que se déroulait un concours organisé par le club de pétanque du Cercle des cheminots. La France a construit la ligne de chemin de fer qui relie Djibouti à Addis-Abeba. Il en reste encore quelques vestiges qui rappellent que le français était la langue officielle de la compagnie et que la plupart des employés étaient tenus de la parler. Ce sont ces vieux cheminots qui lançaient leurs boules en s'exprimant soit dans un français un peu oublié, soit dans un amharique truffé de mots là-bas très exotiques comme « cochonnet », « pointer », « carreau ». Et le populaire « à la raspaillette» que des joueurs plus jeunes avaient appris de leurs aînés et qu'ils utilisaient pour moquer l'impossibilité de ceux-ci à désormais tirer avec force, en levant haut la main.

Rhinocéros

Il est bon que l'orthographe complexe du nom de certains animaux soit en concordance avec leur morphologie. Ainsi, la tête archaïque du rhinocéros s'accommode-t-elle bien de la première syllabe de son nom, la lettre *h* apparemment inutile s'intercalant entre le *r* et le *i*. Le *rinocéros* serait banal, sans mystère. Avec le *rhinocéros*, on voit pointer sur sa gueule ses deux défenses énigmatiques. La préhistoire s'inscrit dans son corps et dans son identité.

La tête de l'*hippopotame* n'est pas mal non plus. Le *h* qui ouvre son nom en est le contrepoint écrit.

En revanche, le minuscule *é* au début du mot *éléphant* est sans commune mesure avec la tête volumineuse du pachyderme, ses vastes oreilles, sa trompe, ses défenses, sa phénoménale mémoire. Avec un *h*, l'*héléphant* aurait sur le papier beaucoup plus de poids, une tête conforme à sa nature. Un troupeau d'héléphants, la charge des héléphants, les héléphants d'Hannibal (imagine-t-on Hannibal sans *h* ? C'est toute la bravoure du Carthaginois qui ficherait le camp), le cimetière des héléphants…

Le *mammouth*, lui, est gâté. Trois *m* sur huit lettres lui donnent un cubage, une assise, une puissance d'animal réellement fantastique.

Difficile d'écrire sans faute le nom bizarre de l'*ornithorynque*. Avec son bec de canard, ses fuselage et pelage de loutre, sa queue plate de pale d'aviron, n'est-il pas lui-même d'une étrange anatomie ?

Quant aux dinosaures, tels le *tricératops*, le *tyrannosaure* ou le *deinonychus*, leurs noms sont des horreurs en terrifiante harmonie avec leur monstrueuse apparence. Nos ancêtres les hominidés francophones ne pouvaient pas s'y tromper…

> Hippopotame, Libellule

Rire

Seules les femmes savent rire. Les hommes s'esclaffent, se gondolent, rigolent, hennissent, se boyautent. Je ne dis pas que tous les rires de tous les hommes sont vulgaires. Il en est certains dont la joie éclate avec une certaine élégance. Mais chez beaucoup d'hommes, le rire sonne lourd. Ha ! ha ! ha ! Ils émettent des sons trop graves ou trop rauques pour que le rire n'en soit pas plombé. L'expression « rire à ventre déboutonné » n'a pas été inventée pour les femmes. De fait, quand les hommes rient, ils donnent l'impression de se lâcher, de se débraguetter. Rien n'est pire que des hommes avinés qui, à la fin d'un banquet, rient d'histoires salaces. Il m'est arrivé d'en être. Pas fier.

Comment le verbe *rioter* n'aurait-il pas disparu ? Jean Giono : « Couché dans les genêts, Archias riotait d'un petit rire qui ressemblait au rire des pintades » (*Naissance de l'Odyssée*). Les hommes ne savent plus rire doucement, ils ne riotent plus. Cela dit, on ne va pas pleurer sur ce *rioter* qui s'est fait la malle. Il n'est pas joli.

Je n'ai aimé que des femmes qui, peu ou beaucoup, rient avec une gracieuse allégresse. Le son est limpide. De leurs dents du bonheur s'échappent des notes argentines. Le rire des femmes encourage les hommes à avoir de l'esprit. Ou à faire le clown.

Un matin, dans une cafétéria d'autoroute, on nous servit avec le café des biscuits dans des sachets plastifiés. Elle réussit à en extraire (le verbe *extraire* n'a pas de passé simple) le sien avec facilité. Moi, je n'y arrivai pas, et ma maladresse déclencha son rire. Plus je tournais et retournais le maudit sachet, tirant ici, forçant là, plus elle riait, et son long rire moqueur était dans ce lieu tristounet comme une chanson matutinale. Vint le moment où, continuant à m'escrimer sur ce bout de plastique qui refusait de s'ouvrir, je ne savais pas si je souhaitais qu'il cédât, ce qui eût, hélas ! mis fin à la joie de ma compagne. Quand elle voulut me porter secours, je refusai pour cette raison, à quoi s'ajoutait la volonté de triompher enfin sous ses yeux de l'objet récalcitrant. Alors, son fou rire reprit de plus belle. Je ne l'avais jamais entendue rire aussi longuement et aussi généreusement, et ce n'était somme toute pas cher payer par mon ridicule ces quelques minutes de gaieté musicale.

Rock'n'roll

Ah, ce que j'aurais aimé être rock'n'roll ! Qu'on dise de moi : « Regarde-le, écoute-le, il est très rock'n'roll ! » Pas *rock and roll*, qui fait appliqué, plouc. Encore moins *rock*, franchouillard. Non, *rock'n'roll*, à prononcer avec l'accent d'Elvis, d'Eddie (Cochran) ou, à tout le moins, de Johnny. *Rock'n'roll*, avec ses deux apostrophes qui décoiffent, sa graphie explosive, son américanisme tonitruant.

M'habiller rock'n'roll, il n'y fallait pas songer. Déjà qu'avec un foulard dans la chemise je ressemble à un pélican qui a oublié de rentrer son jabot ! Alors, avec du gominé, du cuir, des clous, des chaînes, des bagouzes, de quoi aurais-je eu l'air ? D'un bourgeois qui fait un extra à la Techno Parade.

C'est l'esprit rock'n'roll que j'aurais aimé posséder. Avec une rock'n'roll attitude. C'est-à-dire ? Préférer le rythme à la sagesse, la cadence à la morale, le tempo à la raison, le balancement à la quiétude, la scansion aux bonnes manières. La vie comme la musique rock'n'roll : à quatre temps, en appuyant fort sur le deuxième, le risque, et sur le quatrième, la jouissance. Les deux autres temps ? L'amour et l'amour ! Waouh !

Plusieurs fois j'ai rêvé que je menais une existence rock'n'-roll. Je rêvais que je dormais le jour et vivais la nuit.

Je me réveillais épuisé, la bouche puant le whisky et la vodka, les narines en feu, sur les genoux et cependant battant la mesure des deux pieds (métaphore rock'n'roll). Il me fallait une bonne journée bien tranquille, bien pépère, pour me remettre de cette folle nuit rock'n'roll passée sous la couette.

> Désinvolte

Ronchon

Mot d'origine lyonnaise. Qui justifie que je sois parfois ronchon. Et qui m'excuse à moitié. Le ronchonnement est le lot des types qui ne savent pas se mettre en colère. Au lieu de pousser une gueulante qui soulage, de se mettre en pétard, et ça s'entend, et ça se voit qu'ils ne sont pas contents, qu'ils en ont marre de toutes ces conneries, au lieu de fulminer, d'exploser, de hurler, ils grognent, ils râlent, ils bougonnent. Ils ronchonnent. Ah, ce n'est pas Cino Del Duca, le roi de la presse du cœur, qui aurait choisi d'exprimer son mécontentement par quelques mots ronchons ! Il envoyait son téléphone, à l'époque avec fil, à la tête du collaborateur récalcitrant. Je n'aurais pas même osé balancer une gomme ou un trombone ! Non, je maugréais, je marmonnais, je rognonnais, je maronnais, je ronchonnais.

Pas longtemps, pas souvent. Mais quand je suis ronchon, cela se voit et s'entend comme si j'étais dans un état de grande colère.

Salon-bibliothèque

Quelles que soient l'ancienneté des reliures, l'originalité des collections, la rareté des éditions de luxe, la beauté des grands papiers, la distinction des exemplaires numérotés, non coupés, rien ne vaut, dans un salon ou une salle de séjour, l'alignement sur les rayonnages de centaines de livres d'édition courante, y compris de poche, dont on voit bien, aux rides de leurs dos, à la patine du temps, à une légère fatigue générale, qu'ils ont été lus, puis jugés dignes, sur leur contenu et non sur leur apparence, de rester à demeure, sous le regard proche et reconnaissant des habitants du lieu.

> Chambre-bibliothèque,
Cuisine-bibliothèque,
W-C-bibliothèque

Seau

Le seau est une victime du progrès. Les gens de ma génération se souviennent d'avoir rempli et porté de lourds seaux à charbon, et d'avoir aperçu dans la chambre de leurs parents et grands-parents des seaux hygiéniques. J'ai tenu entre mes jambes le seau dans lequel s'écoulait par saccades le lait de la vache aux pis alternativement serrés. Et combien de seaux d'eau ai-je tirés des puits ? Le récipient s'accrochait à l'extrémité d'une chaîne qui descendait à plus de vingt mètres. On guettait le bruit du métal frappant le liquide. Puis l'on donnait un peu de mou pour bien remplir le seau qui était ensuite remonté à la force des bras en actionnant une manivelle. Éviter toute brusquerie afin de ne pas entendre l'eau retomber dans l'eau.

Les chauds après-midi d'été, l'eau tirée du puits juste avant le goûter des enfants était jugée trop fraîche par ma mère pour être bue sans attendre. C'était le seul moment de la journée où je me portais volontaire pour la corvée du puits. Dès que j'avais hissé le seau sur la margelle, j'arrondissais mes deux mains et les plongeais dans l'eau pour en laper le contenu.

Dans les appartements des villes les seaux ont disparu au profit des cuvettes et des bassines en plastique, alors qu'à la campagne, même s'ils sont eux aussi en plastique, ils tiennent le coup, ils sont encore là. Seaux d'eau tirée aux robinets, ils servent aussi à écoper. Seaux remplis des cendres de la cheminée, qui seront répandues sur des terres à composter. Seaux de friture rapportée de la Saône ou d'un étang des Dombes. Enfin, groupés, empilés, prometteurs, les seaux des vendanges…

Seins

Première photo de l'un de mes premiers repas : au sein gauche de ma mère, sous son regard fier et protecteur.

Depuis combien d'années n'ai-je pas vu dans le train une femme déboutonner son corsage, remonter un bonnet de son soutien-gorge et offrir un sein à son bébé ? Du charnel sans érotisme. De l'amour pur et bio.

En se penchant, les lavandières, les vendangeuses, les ramasseuses de champignons, les jardinières, les moissonneuses, les faneuses, les glaneuses, les cueilleuses de fraises exposaient avec générosité leurs seins au regard plongeant de l'adolescent qui se mettait bien en face.

Le geste instinctif que, toute ma vie, j'aurai le plus souvent réprimé : glisser ma main dans un décolleté affriolant.

Ô seins, ô beaux seins ronds, opulents, voluptueux, inaccessibles, parfois entrevus, de Gina Lollobrigida, de Silvana Pampanini, de Sophia Loren, de Martine Carol, de Silvana Mangano, de Françoise Arnoul, de Sylva Koscina, de Brigitte Bardot, ô beaux seins peccamineux des actrices des années cinquante, que vous nous fîtes rêver, saliver, bander, endêver, délirer, crever de désir !

L'Épave, 1949, de Willy Rozier. Film interdit aux moins de seize ans. Parce que la jeune Françoise Arnoul y montrait ses seins. J'avais quatorze ans. J'ai vu le film trois fois. Une seule fois du début à la fin ; les autres fois les garçons se levaient et partaient après la scène de déshabillage située au début. Plus de trente ans après, Françoise Arnoul m'a dit que ce n'était pas ses seins qui nous avaient mis en transe, mais ceux d'une doublure. Étant encore mineure, elle n'avait pas eu le droit de se dénuder à l'écran.

Qu'importe le balcon, pourvu qu'on ait l'ivresse !

Interdite à la vente aux moins de seize ans, *Paris-Hollywood* était une revue chère, dite pornographique, que nous achetions à trois ou quatre, l'acquéreur étant celui qui était le plus audacieux ou qui faisait le moins jeunot. On y voyait des femmes avec de gros seins dont les tétons étaient cachés par des étoiles de papier fluorescent. Leur entre-cuisse, gommé, était comme peau de bébé, sans sexe ni poils. C'était quand même mieux que rien.

Enfin, plus tard, *Playboy* vint…

Des hommes s'embrouillent, se marient, s'égarent, se perdent, divorcent, deviennent fous, juste pour prendre possession d'une fastueuse poitrine cachée sous un pull.

Avec leurs décolletés les femmes nous invitent à lire les premiers chapitres d'un roman dont elles ont la malice ou la cruauté de nous cacher la suite, le déroulement en pente douce, le dénouement et la double apothéose finale.

« Les veuves savent quel était le sein préféré du défunt ; le nouvel amant en a le soupçon et veille à ne pas tomber dans la préférence du mort, et change de favori » (Ramón Gómez de la Serna, *Seins*).

Sous un voile transparent ou sous un tee-shirt mouillé, les seins restent de troublantes énigmes. Mais les vrais amateurs et mateurs préfèrent le sec à l'humide.

Sous le Directoire, j'aurais laissé la merveilleuse se pencher pour ramasser le mouchoir qu'elle aurait fait négligemment tomber. Mais, plus vif qu'un lutin, je me serais alors baissé pour mettre le premier la main sur le mouchoir, l'œil et le nez dans le décolleté béant.

> *« Les petits pois de son corsage*
> *S'éparpillèrent sous les doigts*
> *D'un amant cueilli au passage*
> *À Clamart, l'été dans les bois. »*
>
> Raymond Radiguet,
> *Jeux innocents*

Sa poitrine était si menue qu'un de ses amis disait de cette jeune femme qu'elle ressemblait à une chapelle : les saints sont à l'intérieur.

L'avantage avec les femmes aux tout petits seins qui n'ont nul besoin d'être soutenus, c'est que, glissée sous le tee-shirt ou sous le pull, la main accède librement à leur juvénile intumescence.

Au fil des années, bien des écrivains font évoluer leur style de l'arborescence à la simplicité, de la profusion à la rectitude. Ainsi en est-il aussi de certains hommes dont la préférence pour les seins va de l'abondance au déficit, de la grosse pivoine au bouton de rose.

L'Époux :

« Tes seins tout petits et serrés,
Sais-tu à qui je les compare ?
À deux tout petits faons jumeaux
Que leur maman a cajolés.

Et ta silhouette ressemble
À un palmier de ce coteau,
Et tes seins ressemblent à deux grappes
De belle allure et beau volume. »

L'Épouse :

« La vigne nous visiterons
Demain matin, tout doucement ;
Nous verrons si dans le jardin

Les grenadiers sont bien en fleur ;
Là je te donnerai mes seins,
Car c'est pour toi que je les garde... »
Cantique des cantiques

À propos...

Dans les tableaux représentant la Vierge donnant le sein à l'enfant Jésus, c'est très souvent le droit qui est dénudé. Pourquoi ? Il existe une spectaculaire exception : le tableau de Jean Fouquet, *Marie et Jésus entourés de séraphins et de chérubins* (Musée royal des Beaux-Arts d'Anvers). Marie aurait été peinte d'après le portrait d'Agnès Sorel, maîtresse de Charles VII. Elle exhibe, yeux baissés, un opulent sein gauche. Le préféré du roi ?

Sensualité

On m'a fait remarquer que j'emploie souvent le mot *sensualité* dans ma conversation. Non pour parler de sexe ou d'érotisme, mais pour raconter des choses banales de la vie dans lesquelles mes sens, en particulier le toucher, prennent du plaisir.

Ainsi, l'ouverture des paquets de livres apportés par des

coursiers ou par des facteurs. Qu'ils soient retirés de leurs enveloppes de gros papier avec lenteur ou après que mes doigts les en ont arrachés, les volumes, même encore aujourd'hui, me sont comme des surprises, des cadeaux. En saisir un, en lire le titre, le nom de l'auteur, de l'éditeur, le retourner, en lire la quatrième de couverture, le palper, l'ouvrir, le casser, le caresser, le retourner, le soupeser, le rouvrir au hasard, en lire quelques lignes, le refermer, le classer, tout un rituel dont je ne me lasse pas et qui chaque fois excite mes mains et mes yeux.

Je décris ailleurs (> Main) la sensualité de la main qui tient le stylo et qui glisse sur le papier, et, dans le *Dictionnaire amoureux du vin*, l'ensorcelante sensualité des vendanges.

Quand mes mains se posent sur le volant de la voiture, puis le caressent, le serrent, le tournent, je ressens, transmise du bout des doigts au cerveau, une très légère jouissance. Les belles voitures dégagent une certaine sensualité que les publicitaires utilisent d'abondance dans des films dont l'ambition est de séduire l'œil du téléspectateur.

Préservé de la cigarette parce que je ne supportais pas le contact du papier sur mes lèvres, vers la trentaine j'ai été conquis par la beauté des havanes bien rangés dans leur boîte, par leurs bagues colorées, par leurs noms espagnols, par leurs odorantes fumées bleuâtres. Ah ! humer un cigare avant de l'allumer, respirer longuement ses lourds parfums de cape et de tripe ! Ses fragrances d'humus, de corruption, de merde excitent le nez qui transmet à toute la machinerie des sens.

Petit garçon, je passais quelques après-midi dans l'atelier

de deux tailleurs proches de l'épicerie familiale. J'aimais tâter les étoffes, les palper, les lisser, les frotter contre ma joue ou contre mes cuisses. « On en fera un tailleur », lançaient les deux frères. Mais leurs immenses ciseaux me faisaient peur. Si j'étais riche, je ne pisserais pas tout le temps, comme le disait Alphonse Allais, mais je me coucherais chaque soir dans des draps propres, de préférence en métis blanc. Le corps nu s'y glisse avec volupté.

Dans l'amour des chats la part de sensualité est considérable. Les caresser sans fin, enfoncer les doigts dans leur poil, prendre à pleine pogne la peau et sa fourrure, leur gratter le dessus du crâne, leur frictionner les oreilles – ce qui provoque chez eux un mouvement de tête impulsif de jouissance, parfois accompagné de bave –, leur tripoter le dessous du menton et le cou, leur prodiguer mille attouchements et câlineries, tout cela procure beaucoup de plaisir aux mains baladeuses des maîtres-amis-masseurs-amoureux-esclaves des chats.

Quand on est soi-même chat entre des mains expertes... Nous voici dans l'érotisme, et ce ne serait pas une bonne sortie pour cette entrée. Restons dans la sensualité avec la shampouineuse qui, professionnelle rémunérée, me gratouille la tête tantôt avec rudesse, tantôt avec douceur. Ô béatitude ! Ô félicité ! Même le séchage des cheveux avec une serviette, c'est bon. Je bénis le ciel quand le coiffeur est en retard et que, pour me faire patienter, elle prolonge son travail par des massages du crâne, des tempes et de la nuque. Le pourboire sera en conséquence.

Sérénité

Comme je n'en ai guère, la sérénité est la qualité que j'admire et que j'envie le plus. Non pas la sérénité de ceux qui, irradiés par la foi, se sont retirés du monde ou s'y soustraient le plus possible pour dialoguer avec le silence. Mais la sérénité des battants, des vifs, des militants, des fonceurs, ou celle, plus discrète, de la multitude de femmes et d'hommes qui mènent une existence banale et qui vieillissent en réagissant avec équanimité aux petits bonheurs et aux gros chagrins.

On peut être agité intérieurement par des tempêtes et montrer un visage serein. Cela ne trompe pas longtemps. La quiétude jouée est à terme insoutenable. On est trahi par ses nerfs, par ses absences, par ses regards dans le vide, par des rires qui résonnent comme de fausses notes. La vraie sérénité se lit dans les yeux comme une page d'un livre de sagesse. Elle est impressionnante. Elle est éblouissante. Elle est rassurante. On a envie de toucher, de caresser un visage réellement serein.

On est d'autant plus impressionné quand on sait que la personne – ainsi une amie de longue date – a souffert dans sa chair et dans son cœur. Les coups durs ne l'ont pas épargnée. Elle en a bavé. L'indifférence, le fatalisme, la résignation, elle ne connaît pas. Elle a lutté. Elle s'est défendue. Elle a dû céder, il est probable, à des moments de colère ou d'accablement. Mais, très vite, mue par une paix qui vient de l'âme, de la méditation, et que l'expérience a fortifiée, elle a recouvré cette sérénité qui, dût-elle vivre jusqu'à cent ans, sera toujours pour elle une rente de beauté.

Tout compte fait, c'est à la télévision que j'aurai été réellement le plus serein. J'y affichais un calme, une maîtrise qui découlaient de mes responsabilités publiques et d'un travail intense de préparation. J'évoque ailleurs mon sang-froid sur le petit écran.

Dans la vie de tous les jours, une contrariété m'agace, une promesse non tenue me fâche, mes étourderies et mes maladresses me déstabilisent. J'ai toujours eu la volonté de me dominer, de prendre sur moi – j'y parviens, parfois –, mais, trop souvent, même si je n'en laisse rien paraître, quelque chose en moi se délite. Et, quand il s'agit de douleurs profondes, c'est la débâcle. Je suis incapable de retenir mes larmes. Les rares fois où j'ai accepté de prendre la parole au cours d'obsèques, des sanglots impossibles à refouler ont empêché l'assistance de comprendre ce que je disais.

Je ne mourrai pas dans la sérénité. Et, peut-être, cette fois sans embarrasser personne, dans mon cercueil, verserai-je pendant la cérémonie quelques larmes posthumes.

> Trac

Souris

Quand on voit une souris, une autre n'est pas loin. C'est pourquoi, dans sa subtile sagesse, la langue française a fait de souris un nom féminin portant toujours la marque du pluriel.

Un jour, j'en aperçus deux qui se faufilaient le long des plinthes des murs du salon. C'était à une période de ma vie où je poussais le détachement jusqu'à me priver de chats. J'achetai dès le lendemain des tapettes et du gruyère.

« Prenez de l'emmental, me dit le fromager. Les souris le préfèrent au comté.

– Je sais pourquoi, dis-je. Les souris raffolent des trous. »

Dès potron-minet, je me précipitai dans le salon pour relever le tableau de chasse. Pas de souris, plus de gruyère ! Il en fut de même les matins suivants, alors que je m'ingéniais, chaque soir, à varier la grosseur des morceaux de fromage.

Étais-je tombé sur une nichée de souris particulièrement futées ? Pour ne pas vivre idiots au milieu des montagnes de livres, les chats des écrivains et des critiques littéraires ont appris à lire. Pourquoi pas aussi leurs souris ? Les miennes auraient-elles lu la notice des tapettes ?

Je voulus savoir comment elles s'y prenaient pour me berner. Un soir, j'installai un piège fourré d'un morceau d'emmental très goûteux dans une clarté crépusculaire, avec cependant assez de lumière pour que, du fauteuil où je faisais le guet, je puisse assister à leurs manigances. Bien sûr, l'attente fut longue. Quand je me réveillai, je constatai qu'une souris s'était encore nourrie à mes dépens. J'étais Tom, elle était Jerry. Elle m'avait une nouvelle fois fait la nique.

Je suis à peine plus habile à ferrer le poisson ou à décortiquer la langouste. Quand je monte une tente ou un meuble Ikea, ils s'effondrent avant la fin. Avec un marteau et des clous, je risque ma vie et, s'il y a des imprudents, celle des autres. Pourquoi mes doigts, qui ne sont pas des boudins, sont-ils aussi empotés ? Le responsable est plutôt mon cerveau : il ne transmet pas à mes mains des ordres justes ou des conseils judicieux. Y a-t-il chez les animaux la même proportion de maladroits que chez les humains ? A-t-on vu des lapins rater le creusement de leur terrier ou des hirondelles foirer leur nid ?

Cependant, pour attraper une souris avec une tapette, nul besoin d'être un orfèvre en bricolage. Ou d'avoir fait une école du génie. La disposition du fromage ne nécessite pas des visées, des calculs, des ajustements, un savoir-faire de trappeur de l'Alaska. Ça marche avec n'importe qui. Pas avec moi. Ni avec quelques autres infortunés du b.a.-ba de la technique. Il est probable que les outils sentent que nous sommes nuls. Ils ne nous aiment pas. Alors, ils prennent le parti de l'adversaire : la pince, celui de la langouste, le piquet, de la tente, le marteau, du mur. Et la tapette, de la souris.

À propos…

« Sa vie de petite souris effrayée… » (*Pedigree*) ; « Toute ta vie, tu as trottiné comme une petite souris » (*Lettre à ma mère*). Georges Simenon a toujours comparé sa mère – ils n'ont jamais eu l'un pour l'autre d'affection, encore moins d'amour – à une souris.

Tache

La *tache*, altération colorée d'une surface, et la *tâche*, le travail, n'ont pas la même origine étymologique. L'accent circonflexe permet de les distinguer l'une de l'autre. Il y aurait moins de confusion si cet accent, comme un pâté, comme une éclaboussure, comme un rajout, s'appliquait symboliquement à ce qui modifie l'apparence des choses plutôt qu'à la besogne. Il eût été plus logique d'écrire des tâches de rousseur, des tâches de vin, la tâche originelle… Mais l'usage en a décidé autrement. La tache est sans tache.

Autrefois, on disait des jeunes enfants que la mort venait de frapper qu'ils étaient au ciel puisque leur âme était innocente, pure, sans tache. Jésus-Christ était représenté comme l'« Agneau sans tache ». Combien de réprimandes maternelles – « savons » serait plus en situation – pour des taches sur la chemise, le pull ou le pantalon ? On n'avait pas encore découvert les poudres de lessive qui lavent plus blanc que blanc. Puis il y eut les taches sur les cravates et sur les réputations.

Ces taches de sang sur le pavé du petit matin, tandis que l'eau glougloutait au bord des trottoirs et que les derniers badauds citaient des témoins du crime.

Ces taches de cambouis sur les mains après qu'elles eurent plongé dans le moteur récalcitrant de la voiture qui emmenait ses passagers à la réception du sénateur-maire.

Cette tache de sang sur les mains de lady Macbeth

(« Va-t'en, tache damnée ; va-t'en, te dis-je ») que n'ôtera jamais aucun frottement, si énergique et désespéré soit-il.

Ces taches de sauce grand veneur, de chocolat, de fruits rouges et de bougie sur la nappe blanche que, le lendemain matin, l'Antillaise venue en RER du 93 regardait avec consternation.

À la bibliothèque de Florence, cette tache, un pâté, un gros pâté, que, comme un écolier maladroit, Paul-Louis Courier fit sur un passage inédit, qu'il avait miraculeusement retrouvé, d'un très précieux manuscrit des *Pastorales*, du Grec Longus.

Ces taches marronnasses, éphélides de la vieillesse, qu'avec une lente mais implacable détermination le temps dépose sur la peau des mains et du visage, trop exposés au soleil de la mort.

Tact

Aujourd'hui, le tact a quelque chose de suranné. On prend le tact pour de la prudence, de l'autocensure, de la mièvrerie, alors que c'est une manifestation intuitive de l'intelligence liée à la sensibilité. Comme ça, en un instant, on saisit qu'il ne faut pas dire ceci ou faire cela pour ne pas froisser, blesser, choquer ou humilier. Y céder n'est pas un crime, mais, par manque de tact, on aura fait la preuve que l'on n'est pas un artiste des relations humaines.

Plus la peau de l'autre est tendre, plus le toucher doit être léger. Sur les peaux dures on peut se laisser aller. Sauf que l'on n'a pas toujours une connaissance exacte de l'épaisseur et de l'élasticité des épidermes. Nous nous trompons même sur le nôtre. Nous nous croyons blindés et une piqûre de moustique nous fait mal. C'est pourquoi il est rare que nous manquions de tact vis-à-vis de nous-mêmes.

De l'évaluation spontanée de l'impact d'un geste ou d'une parole dépend le tact que l'on a ou que l'on n'a pas. Parfois, se retenir de lancer une repartie, un bon mot, une apostrophe demande presque de la grandeur d'âme. S'en priver est très frustrant. Mais rien n'est pire que d'observer sur une personne que l'on aime ou que l'on admire le silence, le sourire feint ou la mine froissée provoqués par une petite morsure dont nous ne sommes visiblement pas mécontents.

Têtière et béragnon

Les rêveries d'adolescent me conduisaient vers des triomphes mérités sur des terrains de football ou dans des librairies. La possession du ballon me parut assez rapidement plus aléatoire que la maîtrise des mots. Les pieds ou les mains, il fallait choisir. Si je n'abandonnai pas le foot sur la caillasse de la banlieue lyonnaise, bientôt je ne m'imaginai plus qu'en écrivain renommé. Bizarrement, c'est surtout à la campagne que ma petite tête littéraire enflait. Les livres y étaient rares, et peut-être me considérais-je déjà en terre de mission.

C'était pendant les périodes des foins, des moissons et des vendanges que je m'exaltais le plus. Les récoltes en appellent d'autres. Les livres sont aussi l'aboutissement de longues patiences et de travaux quotidiens obscurs. Moi aussi, après de nombreuses heures volées au sommeil et aux distractions, je produirais des œuvres millésimées.

Si je n'envisageais pas le prix Nobel, c'est parce que j'en ignorais l'existence. Je me contentais du prix Goncourt obtenu avec dispense en raison de mon âge. Le roman avait un titre, *Les Têtières et les Béragnons*. La *têtière* est la bande de terre qui limite le haut d'une vigne, le *béragnon* (patois beaujolais) la terre qui en limite le bas. Avec *Les Têtières et les Béragnons*, j'optais classiquement pour une opposition des contraires, comme *Guerre et Paix*, *Le Rouge et le Noir*, *Crime et Châtiment*. C'était un roman d'amour avec, ce qui était somme toute assez bien deviné quand on n'a aucune expérience en la matière, des hauts et des bas. Avec aussi un point de vue moral, mon éducation me portant plus volontiers vers la compagnie des têtières qu'au voisinage des béragnons. Encore qu'il fût apparu que sur un coteau (et dans la vie) un béragnon était au-dessus de la têtière de la vigne située en dessous.

Je m'appliquai pour écrire le titre du roman sur une feuille blanche. Avec pleins et déliés, comme M. Cazenave me l'avait appris à l'école communale de Quincié. En voilà encore un beau titre, *Les Pleins et les Déliés*, pour marquer les antinomies de l'existence. Je n'ai jamais réussi à tomber d'accord avec moi sur la première phrase. *Les Têtières et les Béragnons* est un roman resté en friche.

Texto

Accro aux textos ! J'en envoie en rafales. Quand ça me prend, je ne peux plus m'arrêter. Un texto en introduit un autre comme un caramel en appelle un autre. Envoyer des textos en mangeant des caramels est une double et délicieuse servitude.

Il y a toutes sortes de textos : des bouteilles à la mer, des textes d'informations pratiques, des messages d'amour, des appels au secours, des farces et attrapes, des rappels à l'ordre, des pensées, maximes et apophtegmes, des propos injurieux, des rébus d'ados, de la poésie, des mots pour passer le temps et ne pas se sentir seul…

Le texto est le moyen le plus rapide et le plus discret de dire : je suis, j'existe. Certains autistes font chauffer les claviers.

Les textos les plus amusants sont ceux qui ressemblent à des parties de ping-pong entre deux correspondants. Dialogues spontanés, questions-réponses immédiates, fulgurantes répliques, ripostes amusantes, mots écrits qui vont de l'un à l'autre presque à la vitesse de la parole. Et si les deux « textologues » sont séparés par deux ou cinq mille kilomètres, la conversation n'en est que plus appréciée tant elle paraît tenir du miracle.

Où êtes-vous, Marguerite Duras, que je vous envoie des textos pour en recevoir de vous qui seront beaux et énigmatiques ? Les vôtres, Gombrowicz, seront burlesques, sarcastiques, obscurs, mais ne jugerez-vous pas les miens trop convenus pour faire l'effort d'y répondre ? Quel est votre numéro de portable, chère Colette, pour que je vous donne des nouvelles de l'académie Goncourt ? Monsieur Panaït Istrati, une de mes amies attend depuis longtemps vos textos. Je vous transmettrai son numéro. Comme je vous transmettrai, San Antonio, le numéro d'un grand médecin de la Pitié-Salpêtrière, pneumologue de mes amis, l'un des Français qui connaissent le mieux votre œuvre, et à qui vous réserverez vos fulgurantes et désopilantes trouvailles.

Les lettres, on ne sait jamais si elles ont été reçues. Elles mettent trop de temps pour arriver à destination. Les textos sont rapides et sûrs. Leur brièveté est adaptée à la communication d'outre-tombe. Sitôt partis, les mots se diluent dans l'espace et se rassemblent aussitôt sur le petit écran visé, situé quelque part sur la terre ou dans le ciel. Où êtes-vous, Antoine Blondin, Nathalie Sarraute, Henri Thomas, Jean-Edern Hallier, et vous encore, Roger Vrigny, Jean Cau,

Alexandre Vialatte, Jean Cocteau, dont le talent s'exprimerait à merveille dans la concision et le naturel du texto ?

À propos…

Dans un échange mené rondement j'avoue négliger souvent les accents, les traits d'union et les virgules, alors que j'abuse des points d'exclamation ! On a raison de me croire incapable d'écrire des textos dans la langue phonétique des jeunes. Je suis content qu'ils aient remis au goût du jour une expression tombée en désuétude : a1dc4 (à un de ces quatre).

Autre nom du texto, le SMS, sigle anglais qui signifie, la plupart des Français l'ignorent, *Short Message Service.*

Trac

Comment un type aussi « traqueur » que moi a pu faire pendant vingt-huit ans des émissions en direct, poussant un apparent masochisme jusqu'à pester quand, pour une raison impérieuse, il fallait en passer par un enregistrement ?

À l'école, déjà, j'avais le trac. Une récitation m'asséchait la gorge, une interrogation me nouait les mains. Faute de pouvoir maîtriser mes nerfs, des pulsions sexuelles agitant même mes cuisses, je ne disposais jamais d'assez de temps pour les épreuves écrites du brevet et du baccalauréat. À l'oral, je paniquais. Dans les matches de tennis de table, je devais souvent remonter un handicap dû à l'émotion des premiers échanges. Je retournais ensuite contre mon adversaire ma maladresse initiale et la lui faisais payer le plus cher possible.

Lors de mon inscription au Centre de formation des journalistes, j'ai dû écrire en une demi-heure un texte dans lequel je confiais les raisons pour lesquelles j'ambitionnais de devenir journaliste. Ma copie a été retrouvée : banale, quasi nulle. Mon trouble m'avait même fait écrire « journeaux ». Deux ans après, je réussissais fort bien les examens écrits et oraux de sortie de l'école. Étrange rétablissement.

Mon trac le plus long, le plus pénible, le plus burlesque, je l'ai eu lors de mon passage devant la commission de réception et de discipline du Club des Cent. Pour entrer dans cet aréopage de gourmets où Claude Imbert m'avait depuis longtemps précédé et me parrainait, il faut montrer que l'on possède quelques compétences dans ces matières nobles mais vastes que sont le boire et le manger. La vingtaine d'examinateurs réunis comme un tribunal de l'Inquisition n'exigent pas de l'impétrant d'être un familier des œuvres de Brillat-Savarin, d'Auguste Escoffier, d'Ali-Bab, d'Antonin Carême, de Mme Saint-Ange, d'Alain Ducasse, de Roger Dion ou d'Émile Peynaud, mais ils veulent savoir s'il est capable d'apprécier et de nommer ce que les chefs mettent dans son assiette et les vignerons dans son verre. S'il a de la curiosité et du goût pour ce qu'il mange et ce qu'il boit. Il faut pouvoir, par exemple, citer les morceaux du boucher, la liste des premiers et seconds grands crus du classement de 1855 des bordeaux, les noms des restaurants trois étoiles de Paris, des cépages des châteauneuf-du-pape et des hermitages, des fromages d'Auvergne ou de Normandie, etc. Il faut donc bachoter avant de passer ce grand oral.

J'avais bachoté dur.

C'était en 1985. Au plus fort de mon émission *Apostrophes*. La commission s'attendait à voir paraître devant elle un homme à l'aise dans les reparties, sûr de lui. Or un trac effroyable, inentamable, de béton, m'avait saisi et pétrifié dès que j'avais pris place au milieu du fer à cheval que dessinait le jury. J'étais dans l'incapacité de prononcer un mot. Pourtant, la première question, judicieuse, amusante, aurait dû me mettre à l'aise : « En dehors de la conversation dont vous êtes un éminent spécialiste à la télévision, ce mot de *conversation* a-t-il pour vous un autre sens ? » Des conversations, j'en avais mangé, savouré, pendant toute mon enfance. Cette petite pâtisserie fourrée de crème d'amande, généralement de forme ronde, avec au-dessus un feuilletage en croisillons, était – hélas ! les pâtissiers n'en font plus – l'un de mes desserts préférés. Impossible d'expliquer cela. Rien ne voulait sortir de ma bouche. La conversation me laissait silencieux. J'étais ridicule.

Puis, le trac s'étant peu à peu dissipé, j'ai pu, enfin, répondre à des questions qui n'étaient pas toutes aussi faciles que la première et qui m'ont même permis d'amuser mon auditoire.

Invité dans deux ou trois émissions avant de diriger la

mienne, je n'y manifestai aucune inquiétude. Ayant récemment découvert ces séquences qui remontent à la fin des années soixante, j'ai pu constater que j'y étais même très à l'aise.

En revanche, je fus la proie d'une panique glacée – je transpirais abondamment, mes vêtements étaient collés à ma peau, et j'avais froid – durant les quelques minutes qui précédèrent, le 2 avril 1973, à 21 h 30, le début de ma première émission – en direct –, *Ouvrez les guillemets*. Il n'y avait pas eu d'essai, ni de numéro zéro, encore moins de générale. Juste une répétition dans l'après-midi sous la direction du réalisateur, Claude Barma, qui avait prévu pendant l'émission des déplacements que je devais effectuer d'un fauteuil à un canapé, puis à un pouf, puis… Plus l'heure de me lancer approchait, plus je ressentais l'envie de fuir le piège dans lequel – par gloriole ? par crânerie ? par légèreté ? par bêtise ? – je m'étais fourré. Mon cœur battait très fort et j'avais l'impression qu'il allait s'arrêter. Seigneur, quelle trouille !

Puis, soudain, j'ai vu ma tête sur l'écran placé devant moi. J'ai commencé à parler, de moins en moins stressé, de plus en plus assuré, et deux minutes ne s'étaient pas écoulées que je n'avais plus peur. J'ai fait exactement ce que je devais faire pendant les soixante-quinze minutes de l'émission. Est-ce la télévision qui m'avait domestiqué ou moi qui l'avais domptée ? La nécessité et la brutalité du direct n'avaient-elles pas forcé ma nature à se comporter comme si, les caméras n'existant pas, la plupart du temps oubliées, elle était spontanément redevenue elle-même ?

Le trac si excitant du direct ne m'a jamais complètement lâché. Mais il ne s'est plus manifesté que sous la forme d'un trou d'air, tel qu'on peut le ressentir en avion, dans les secondes qui précédaient ma présentation de l'émission. Ensuite, le voyage se poursuivait normalement.

À propos...

Le lendemain de la première émission d'*Ouvrez les guillemets*, Jacqueline Baudrier, directrice de la première chaîne, me dit au téléphone : « L'émission n'était pas bonne. C'est normal puisque c'était la première. Ne remettez jamais cette veste : vous aviez l'air d'un garçon de café. Je suis sûre d'une chose : vous êtes fait pour la télévision. »

À l'intention des psychologues.

Lorsque des manifestants envahissaient le plateau ou qu'un énergumène menaçait de se trancher la gorge si on n'écoutait pas ses doléances, je faisais preuve chaque fois d'un sang-froid dont j'étais le premier étonné. Car, dans la vie ordinaire, je suis vite agacé par un trouble imprévu. Le moindre bruit me fait sursauter. Je suis vite ému, angoissé, agité. Serais-je averti que je mourrais dans un quart d'heure, je céderais à la panique. Dans une émission en direct, serais-je informé de la même fin imminente et brutale, je prierais calmement mes invités de continuer de répondre à mes questions.

Train fantôme

Adolescent, puis jeune homme, je n'étais pas, mais pas du tout, ce que j'allais devenir : un animateur. Ni chef ni meneur, plutôt réservé, assez romantique, j'avais des périodes de gaîté, de camaraderie espiègle et bruyante, mais, heureux d'appartenir à un groupe, je n'en prenais jamais la tête. Trop naïf, timoré ou méfiant pour jouer les premiers rôles.

Avec les filles j'étais carrément timide. Pourquoi s'intéresseraient-elles à moi ? Qu'est-ce qui, dans mon physique ou ma conversation, pourrait les attirer et les retenir ? Rien, répondais-je. Mais le désir était le plus fort. Je tentais ma chance quand les circonstances me paraissaient favorables. À une époque où la sexualité méritait mieux que l'armée d'être appelée la « Grande Muette », un baiser sur la bouche ou dans le cou, une main frôleuse tenaient de la hardiesse. On prenait le risque de la gifle ou de la protestation sonore et humiliante. C'est pourquoi je m'aventurais avec ma supposée conquête dans des musées très peu fréquentés, comme le musée de l'Hôtel-Dieu. Mais la vision des crachoirs, des bols à saignée, des clystères, des pots en faïence sur lesquels étaient peints les noms latins de la pharmacopée du Moyen Âge incitait plus aux infusions qu'aux effusions.

C'est à la *vogue* – ainsi appelle-t-on à Lyon la fête foraine – que je découvris le lieu idéal pour mener à bien ma stratégie d'enveloppement : le train fantôme. Le couple prend place dans un chariot bringuebalant qui s'enfonce dans la nuit d'un tunnel d'où surgissent, menaçants, des nains, des fantômes, des caïmans, des têtes de mort, d'énormes araignées, des cercueils ouverts sur des macchabées... Aux rires sardoniques et vociférations programmés de la machinerie s'ajoutent bientôt les cris de frayeur de la jeune fille. Elle cherche un secours. Elle n'a pas le choix : c'est moi. Nous nous serrons l'un contre l'autre, et j'en profite alors pour l'embrasser et la caresser.

Étant devenu un fidèle usager du train fantôme, j'avais remarqué la présence, debout sur une plateforme située à l'arrière du chariot, déguisé en gorille, d'un homme dont la tâche consistait à gratter la tête de ses occupants, surtout de l'élément féminin. En même temps qu'il passait ses mains dans la tendre chevelure, il poussait des hurlements à vous glacer les sangs. La jeune fille n'en était que plus terrorisée, ce qui augmentait s'il était possible le contact de nos corps.

Quand le chariot débouchait enfin à la lumière de la vogue, je proposais à ma passagère un second tour immédiat. Certaines, soit parce qu'elles étaient scandalisées par mon stratagème, soit parce qu'elles avaient eu peur, se levaient et juraient que je ne les y reprendrais plus. D'autres, rieuses, cheveux en désordre, joues vermillon, étaient de nouveau partantes. Tout mon argent de la semaine allait y passer.

J'étais fasciné par le gratteur de têtes. Ma fréquentation assidue du train fantôme me permit de l'aborder un jour pour lui demander s'il gagnait ainsi sa vie. Oui, il touchait un salaire convenable pour effrayer les passagers. Mais c'était un métier saisonnier et, quand la vogue faisait relâche, il devait trouver des petits boulots qu'il lâchait dès que le train fantôme revenait sur la place de Perrache ou sur le boulevard de la Croix-Rousse. Il me confessa qu'il lui arrivait parfois d'être troublé par le contact de ses mains avec certaines chevelures, en particulier les rousses.

Je jugeais son activité si originale et si plaisante que lorsque, à vingt-trois ans, je profitai d'une période vacante de six mois pour écrire mon premier et unique roman (*L'Amour en vogue*, 1959), je fis du gratteur de têtes mon narrateur et principal personnage. Comme par hasard il tombait amoureux d'une rousse dont la chevelure l'avait électrisé…

Bien des années plus tard, alors que je faisais *Apostrophes*, un journaliste me demanda quelle était au juste ma profession. D'habitude, je dis : « Comme vous, journaliste. » Mais, ce jour-là, tout à trac, je répondis : « Gratteur de têtes. » Devant l'air ébaubi du confrère, je lui narrai la vogue, le train fantôme, le métier de gratteur de têtes. Et j'ajoutai que c'était aussi ma fonction à la télévision, à la différence que je ne grattais pas chaque vendredi soir la tête des téléspectateurs pour les effrayer, mais, au contraire, pour les séduire. Leur activer la circulation du sang, stimuler le travail de leurs neurones, exciter le siège de leur curiosité et de leur intelligence. Pour les encourager à lire. Gratteur de têtes à la télévision publique, voilà quelle était ma profession. Je regrette de ne pas l'avoir écrit sur mes cartes de visite. Comme je regrette que le beau film réalisé sur moi par Bérengère Casanova pour la série de France 5 *Empreintes* n'ait pas été intitulé « Profession : gratteur de têtes ».

Triporteur

Quand il était rempli de bouteilles de vin et de sacs de pommes de terre, il fallait joliment appuyer sur les pédales pour le faire avancer, le triporteur de l'épicerie. Pas tous les jeudis et dimanches matin, mais souvent, je remplaçais ou j'aidais le commis pour les livraisons à domicile. J'étais alors dans les classes terminales du lycée Ampère. Lorsque je sonnais chez des bourgeois lyonnais dont les garçons étaient mes camarades de lycée, je n'éprouvais aucun dépit social, aucune colère contre mon statut de coursier intermittent en fruits et légumes. Ce sont eux qui, parfois, m'ouvraient la porte et, dans une complicité rieuse, m'aidaient à transporter les marchandises jusqu'à la cuisine. S'il y avait un escalier de service, j'étais certain de n'avoir affaire qu'à la bonne. J'entendais alors la voix de la maîtresse de maison lancer du fond de l'appartement : « Si c'est le fils du patron, ce n'est pas la peine de lui donner un pourboire ! »

Ampère aurait été un lycée mixte, eussé-je marqué la même indifférence quand une fille de ma classe ou une copine de récréation se serait présentée à mon coup de sonnette ? Probablement pas. Chargé d'un cageot de carottes, de patates, de haricots, de petits pois et de salades, j'aurais été gêné, peut-être humilié, de n'être plus à ses yeux, surtout s'ils étaient beaux, qu'un potager ambulant. Même fine, l'épicerie n'a jamais fait rêver les filles. J'aurais alors été conscient de mon infériorité sociale. Je la ressentais dans le magasin quand je servais des mères accompagnées de ravissantes filles de mon âge, alors qu'avec les garçons, copains ou pas, je me fichais royalement d'être un fils d'épicier.

Je frimais un peu sur le triporteur. Quand les livraisons n'étaient pas trop lourdes, ou que je revenais à vide, je pédalais en sifflotant, le corps redressé sur la selle, les bras ballants. Je passais devant les épiceries concurrentes en leur jetant un regard de défi. Parfois, hélé par un voisin ou un ami, je m'arrêtais et, sans descendre du tricycle, je taillais une bavette. Il m'arrivait aussi de délester la cliente de quelques cerises dont je recrachais les noyaux d'un souffle voyou. Aux commandes de n'importe quel moyen de transport, même d'un modeste triporteur, l'homme est Apollon sur son char.

À propos…

André Malraux a été élevé à Bondy par un trio de femmes : sa mère, sa grand-mère et sa tante. Elles se relayaient à l'épicerie familiale située au-dessous de l'appartement. Dans *Clara Malraux*, sa biographie de la première femme d'André, Dominique Bona écrit : « Malraux différera longtemps l'aveu de l'épicerie, comme si c'était une tare. »

Ubuesque

L'usage très répandu de l'adjectif *ubuesque* marque le véritable triomphe du père Ubu et de son créateur, Alfred Jarry. Dès qu'une personnalité ou une situation paraît comique, grotesque, absurde, d'un cynisme péremptoire, elle est qualifiée d'ubuesque. Ces personnages et ces situations étant de plus en plus nombreux, l'emploi de l'adjectif est de plus en plus fréquent.

Le *bovarysme* peut aller se rhabiller. *Donjuanesque* est moins utilisé que Don Juan. *Faustien* appartient au langage littéraire, *picrocholin* au langage recherché. *Lilliputien* a une petite clientèle. *Gargantuesque* est le seul adjectif tiré du nom d'un personnage romanesque ou théâtral dont la popularité est aussi grande que *ubuesque*. L'un et l'autre font dans la démesure.

Vécu

Nous suivions à pied le fourgon qui emportait lentement mon père pour sa dernière promenade. Je repassais dans ma tête les principaux épisodes de sa vie d'homme, de mari, de père. Si je ne pleurais plus, je portais ma tristesse comme une armure. Impossible de troubler ma méditation. Mais si ! Mes yeux se portèrent sur la plaque d'immatriculation arrière de la voiture mortuaire. Il y avait deux lettres : VQ. J'ai souri. N'eût été le passager du fourgon, je me serais esclaffé.

Je me suis demandé si la société des pompes funèbres, saisie par un humour noir, avait comploté avec la Préfecture pour obtenir ces deux lettres. Donner à la voiture un état civil en conformité avec sa fonction. Rappeler à la famille et aux amis que l'homme ou la femme transporté(e) avait vécu, participe passé du verbe *vivre*, et que c'en était maintenant fini. Peut-être aussi amuser un instant des personnes plongées dans l'affliction ? C'était réussi.

Il se peut également que la carte grise de cette grosse voiture noire ait été établie au moment où les services d'immatriculation distribuaient les VQ. En ce cas, le hasard aura été malicieusement réaliste.

Vieillir

Vieillir, c'est chiant. J'aurais pu dire : vieillir, c'est désolant, c'est insupportable, c'est douloureux, c'est horrible, c'est déprimant, c'est mortel. Mais j'ai préféré « chiant » parce que c'est un adjectif vigoureux qui ne fait pas triste.

Vieillir, c'est chiant parce qu'on ne sait pas quand ça a commencé et l'on sait encore moins quand ça finira. Non, ce n'est pas vrai qu'on vieillit dès notre naissance. On a été longtemps si frais, si jeune, si appétissant. On était bien dans sa peau. On se sentait conquérant. Invulnérable. La vie devant soi. Même à cinquante ans, c'était encore très bien. Même à soixante. Si, si, je vous assure, j'étais encore plein de muscles, de projets, de désirs, de flamme. Je le suis toujours, mais voilà, entre-temps – mais quand ? – j'ai vu dans le regard des jeunes, des hommes et des femmes dans la force de l'âge qu'ils ne me considéraient plus comme un des leurs, même apparenté, même à la marge. J'ai lu dans leurs yeux qu'ils n'auraient plus jamais d'indulgence à mon égard. Qu'ils seraient polis, déférents, louangeurs, mais impitoyables. Sans m'en rendre compte, j'étais entré dans l'apartheid de l'âge.

Le plus terrible est venu des dédicaces des écrivains, surtout des débutants. « Avec respect », « En hommage respectueux », « Avec mes sentiments très respectueux ». Les salauds ! Ils croyaient probablement me faire plaisir en décapuchonnant leur stylo plein de respect ? Les cons ! Et du

« cher monsieur Pivot » long et solennel comme une citation à l'ordre des Arts et Lettres qui vous fiche dix ans de plus !

Un jour, dans le métro, c'était la première fois, une jeune fille s'est levée pour me donner sa place. J'ai failli la gifler. Puis, la priant de se rasseoir, je lui ai demandé si je faisais vraiment très vieux, si je lui étais apparu fatigué. « Non, non, pas du tout, a-t-elle répondu, embarrassée. J'ai pensé que... » Moi, aussitôt : « Vous pensiez que... ? – Je pensais, je ne sais pas, je ne sais plus, que ça vous ferait plaisir de vous asseoir. – Parce que j'ai les cheveux blancs ? – Non, c'est pas ça, je vous ai vu debout et comme vous êtes plus âgé que moi, ç'a été comme un réflexe, je me suis levée... – Je parais beaucoup beaucoup plus âgé que vous ? – Non, oui, enfin un peu, mais ce n'est pas une question d'âge... – Une question de quoi, alors ? – Je ne sais pas, une question de politesse, enfin je crois... » J'ai arrêté de la taquiner, je l'ai remerciée de son geste généreux et l'ai accompagnée à la station où elle descendait pour lui offrir un verre.

Lutter contre le vieillissement c'est, dans la mesure du possible, ne renoncer à rien. Ni au travail, ni aux voyages, ni aux spectacles, ni aux livres, ni à la gourmandise, ni à l'amour, ni à la sexualité, ni au rêve. Rêver, c'est se souvenir, tant qu'à faire, des heures exquises. C'est penser aux jolis rendez-vous qui nous attendent. C'est laisser son esprit vagabonder entre le désir et l'utopie. La musique est un puissant excitant du rêve. La musique est une drogue douce. J'aimerais mourir, rêveur, dans un fauteuil en écoutant soit l'adagio du *Concerto n° 23 en* la *majeur* de Mozart, soit, du même, l'andante de son *Concerto n° 21 en* ut *majeur*, musiques au bout desquelles se révéleront à mes yeux pas même étonnés les paysages sublimes de l'au-delà.

Mais Mozart et moi ne sommes pas pressés. Nous allons prendre notre temps. Avec l'âge le temps passe soit trop vite, soit trop lentement. Nous ignorons à combien se monte encore notre capital. En années ? En mois ? En jours ? Non, il ne faut pas considérer le temps qui nous reste comme un capital. Mais comme un usufruit dont, tant que nous en sommes capables, il faut jouir sans modération. Après nous, le déluge ? Non, Mozart.

Vivre

Verbe irrégulier. Très irrégulier. La santé, l'intelligence et la fortune sont fort inégalement réparties. *Vivre* est un verbe tellement désordonné, irrationnel, que certains êtres vivants – cellules, virus, moustiques, loups, hommes – deviennent des déviants, des insoumis, des francs-tireurs. Des irréguliers.

Verbe du troisième groupe. Comme mourir. C'est dans ce groupe que la conjugaison est la plus difficile, mais aussi la plus surprenante. La plus passionnante. Heureux celui dont la vie a été assez riche pour conjuguer *vivre* à tous les modes, à tous les temps, avec beaucoup de personnes.

Verbe transitif, intransitif et pronominal. C'est selon. Les transitifs directs vivent à tout berzingue, ils sont francs et ne font pas de chichis. Les transitifs indirects sont des personnes avisées qui consultent et tergiversent avant de s'engager. Les intransitifs sont des individualistes endurcis qui, ne faisant l'objet d'aucun complément, vivent en autarcie. Enfin, les pronominaux, tous gens réfléchis qui se questionnent, se contemplent, s'aiment et se félicitent, se vivent dans un égotisme à la Rousseau.

De tous les verbes, c'est *vivre* qui a le plus beau participe présent : *vivant*.

WC-bibliothèque

Peu d'espace à consacrer aux livres, à leur lecture peu de temps. Mais une petite halte culturelle dans les W-C des maisons de campagne ou de famille est souvent très appréciée, surtout des parents et amis de passage. Encore faut-il savoir adapter l'offre aux circonstances. À déconseiller, par exemple, *Guerre et Paix*, *Autant en emporte le vent* et autres œuvres monumentales que ne parviendrait pas à entamer une méthode de lecture rapide, même jointe à une sévère constipation. Ce n'est pas un lieu pour l'érotisme, ni pour le roman d'amour ou d'aventures, ni pour la science-fiction. La philosophie, oui, mais trop long. Le polar, non, trop compliqué. La spiritualité, oui, car il est bon d'élever son âme en de si prosaïques moments, mais non, parce que la présence de tels livres dans les chiottes risque d'être mal interprétée.

Préconisons plutôt des livres de poètes et de moralistes. Des recueils de textes courts : haïkus, quatrains, sonnets pour les uns, maximes, pensées, apophtegmes pour les autres. Exemples : *Nouvelles en trois lignes*, de Félix Fénéon, *Usage du temps*, de Jean Follain, *En attendant les barbares*, de Constantin Cavafy, *Les Contrerimes*, de Paul-Jean Toulet, *De l'inconvénient d'être né*, de Cioran (je renoncerais à son *Précis de décomposition*, trop évident dans cet endroit, ou alors on joue le premier degré, et l'on ne propose que cet ouvrage), les *Maximes*, de La Rochefoucauld, les *Quatrains* (*Rubâ'iyyât*), d'Omar Khayam, les *Sonnets*, de Louise Labé, l'*Encyclopédie capricieuse du tout et du rien*, de Charles Dantzig, *Les Nécessités de la vie et les Conséquences des rêves*, de Paul Eluard, les *Épigrammes*, de Martial, les *Maximes et pensées*, de Chamfort, les *Cartes postales*, d'Henry J.-M. Levet…

Voilà qui constituerait un joli fonds pour une bibliothèque du petit coin. Je sais d'expérience que la lecture, dans une position qui n'est pas inconfortable mais temporaire, d'une maxime ou de quelques vers procure à l'esprit, qui ne s'y attend pas, une délicate surprise.

À propos…

« Toutes mes bonnes lectures ont lieu aux toilettes. Il y a des passages d'*Ulysse* qu'on ne peut lire qu'aux toilettes – si on veut en extraire toute la saveur du contenu » (Henry Miller, *Les Livres de ma vie*).

> Chambre-bibliothèque,
Cuisine-bibliothèque,
Salon-bibliothèque

X

La langue française est parfois très étrange. Elle présente des bizarreries qui peuvent dérouter des esprits logiques, mais qui la rendent récréative, et même loufoque.

Ainsi la lettre et le mot *x*.

En algèbre, le *x* est le symbole désignant une inconnue. Si l'on veut garder secrète l'identité d'une personne, on la nomme M. ou Mme X. Parce qu'on ne sait pas qui a fait le coup, on porte plainte contre X. Un enfant né sous X restera dans l'ignorance de l'identité de sa mère. Celle-ci a accouché sous X dans l'intention d'abandonner son enfant.

La lettre *x* est devenue au fil du temps le symbole de ce qui demeure caché, secret. Ou, si l'on veut en percer le mystère, il faudra déployer beaucoup d'énergie et de ruse.

Tout le contraire des films pornographiques « classés X ». Ce X désigne, identités au générique, des corps nus, étalés, exhibés, ouverts, explorés, détaillés, des sexes en représentation, des bouches dans l'avidité de la possession, des langues serpentines, des visages affichés dans l'éclat ou la simulation de la jouissance.

C'est donc la même lettre *x* qui sert tantôt à dissimuler, tantôt à déballer.

Un cinéaste porno doté d'un peu d'humour a-t-il pensé à faire asseoir une actrice aux cuisses ouvertes sur un x, petit tabouret aux pieds croisés ?

Yeuse

Le nom provençal du chêne vert est très prisé des joueurs de Scrabble. Il faut dire et écrire *l'yeuse* et non, par contamination avec la gueuse, *la yeuse*. S'il est un robuste écrivain dont les racines s'enfonçaient elles aussi dans la terre de Provence, et que l'yeuse symbolise, c'est Jean Giono.

J'aurais aimé connaître Jean Giono et me promener avec lui pour qu'il me parle des orchis, du sainfoin, des oliviers, des platanes, de la « lourde clématite ébouriffée » (*Solitude de la pitié*), de la menthe poivrée, de la lavande, des vignes, du lierre noir, des « cyprès très funèbres » (*Le Hussard sur le toit*), des peupliers, du laurier, des ronces, du « réséda sauvage dont l'odeur fine est si joyeuse qu'elle dissipe toute mélancolie » (*Ennemonde et autres caractères*), des genêts, de l'alfa, de la dent-de-lion (qu'il écrit « dendelion »), des ormeaux, des « grandes yeuses crépues » (*Le Chant du monde*).

Youpi !

Cette interjection qui marque l'enthousiasme, ce cri de réussite et de joie, je ne l'emploie guère oralement. Mais par écrit, oui. *Youpi !* C'est un succès, je suis heureux, je conclus mon récit par cette manifestation d'euphorie en cinq lettres.

La plus courte et la plus jubilatoire déclaration d'amour : « Je vous aime, youpi ! »

Hourra ! me casse les oreilles. Trop souvent hurlé dans les vestiaires après les matchs. Les hip, hip, hip ! hourra ! des joueurs de foot ou de rugby après une victoire, quand ils sont rassemblés, suants, crottés, autour de leur capitaine, me paraissent aujourd'hui puérils et dérisoires. Je ne marche plus. Trop convenu, trop répétitif. Changez le disque.

Le joueur auquel le reporter tend son micro après le match, alors qu'il quitte le terrain, je préférerais l'entendre dire, plutôt que d'exaspérantes banalités : « Youpi ! On a gagné ! »

À propos…

Ce sympathique *youpi* vient de *youp*, onomatopée qui accompagne un geste, un saut, un mouvement assez vif. « Allez du balai !… Youp ! là là ! » (Céline, *Guignol's band*). Et *youp* aurait donné *youpi* par imitation de l'américain *whoop* qui a donné *whoopee*.

Zeugma

Figure de style rapide et économique. Très peu de CO^2 dégagé.

Exemple : « Il sauta un repas et sa belle-sœur, reprit son souffle et une banane » (Pierre Desproges).

Zut !

Le puriste qui sommeille en moi et qui la ramène rarement est scandalisé par la confusion des locuteurs dans l'emploi de deux jurons : *zut !* et *merde !* Comment peut-on les utiliser indifféremment ? Les intervertir comme s'ils disaient la même chose ? Comment peut-on faire de zut ! et merde ! deux synonymes ? Merde alors ! Respectueux du sens des mots, je n'ai évidemment pas écrit : zut alors ! parce que je suis très en colère, que c'est merde qui convient et pas zut.

Les barbares ont quelques circonstances atténuantes. On colle aux deux jurons, avant et après, des termes qui entretiennent la confusion. Ainsi : ah ! zut !, ah ! merde ! ; et puis zut !, et puis merde ! ; oh ! et puis zut !, oh ! et puis merde ! ; zut alors !, merde alors ! ; ah ! zut alors !, ah ! merde alors ! Sans oublier les répétitions du juron lui-même : zut, zut et zut !, merde, merde et merde !

Mais enfin, confondre *zut !* et *merde !* c'est comme si on confondait *mince !* et *crotte !* On ne lance pas l'un pour l'autre comme si l'un égalait l'autre. Il y a des nuances, que diable ! Mais celles-ci étant peu perceptibles aux oreilles des nouveaux ignorants, nous devons bien constater que l'on dit de moins en moins *zut !* et de plus en plus *merde ! Zut !* est recouvert par *merde !*, submergé, étouffé... Allégorie de l'impitoyable monde moderne.

Zut ! et *merde !* sont employés pour manifester de la surprise, de la déception, du dépit, de la colère. Mais la contrariété inopinée qui déclenche le juron est beaucoup moins grave, et de conséquence moindre, pour un *zut !* que pour un *merde !* Exemple : « Zut ! j'ai oublié d'appeler mon neveu », « Merde ! j'ai oublié mes clés. » Le neveu, ce n'est pas dramatique, sera appelé dans l'heure qui vient, alors qu'il faudra téléphoner à un serrurier – l'attente, le coût, forte exaspération contre l'étourderie – pour pouvoir ouvrir la porte. Qui n'entend que « Merde ! j'ai oublié d'appeler mon neveu » et « Zut ! j'ai oublié mes clés » ne sonnent pas juste ?

Autre exemple : « Et je leur dis zut ! à toutes ces ménagères de moins de cinquante ans qui font les programmes de la télé », « Et je leur dis merde ! à tous ces vieux politiciens toujours sur l'estrade. » Qui ne comprend que pour les ménagères, si néfaste soit leur influence sur la télévision, le *merde !* serait déplacé et que, pour les vieux politiciens, tant est ridicule leur cramponnement, le *zut !* manquerait d'énergie ?

Enfin, avec *zut !* on est toujours dans l'interjection, dans la brièveté, alors qu'avec *merde !* on a le choix entre le mot court, lancé comme un postillon, ou le vocable sur lequel la voix traîne : mêêêêêêrde !

Le livre est fini.
Zut alors !

Ouvrages consultés

Les titres de la plupart des ouvrages dans lesquels j'ai puisé des informations ou des citations sont donnés. Sauf quelques-uns, que voici :

Jean-Jacques Brochier, *Pour l'amour des livres*, Albin Michel.

Colette journaliste, Le Seuil.

Benedetta Craveri, *Madame du Deffand et son monde*, Le Seuil, coll. « Points ».

Léon Daudet, *Souvenirs littéraires*, Grasset.

Dominick, *Les Papillotes*, G.A.E.L.

Christophe Gallet, *Résistance en Beaujolais*, La Taillanderie-Le Progrès.

Bronislaw Geremek, *L'Historien et le Politique*, entretiens recueillis par Juan Carlos Vidal, Les Éditions Noir sur Blanc.

Jean-Louis Kuffer, *Riches heures*, L'Âge d'homme.

L.J. Peter et R. Hull, *Le Principe de Peter*, Stock.

Pour leurs conseils, leurs suggestions ou leurs informations, je remercie :

Anne-Marie Bourgnon
Jean-Paul Lespinasse
Raymond Lévy
Dorothea Marciak
Jean-Claude Simoën
Jean Tulard.

Table

Du même auteur

Aux Éditions Albin Michel

Les Dictées de Bernard Pivot, 2002 ; Le Livre de poche, 2004.
100 mots à sauver, 2004 ; Le Livre de poche, 2006.
100 expressions à sauver, 2008 ; Le Livre de poche, 2010.

Chez d'autres éditeurs

Le Métier de lire, d'Apostrophes à Bouillon de culture, réponses à Pierre Nora, Gallimard, coll. « Folio », 2001.
Dictionnaire amoureux du vin, Plon, 2006.

Composition IGS-CP
Impression Marquis Imprimeur
Éditions Albin Michel
22 rue Huyghens – 75014 Paris
www.albin-michel.fr
ISBN 978-2-226-22085-1
N° d'édition 19705/01.
Dépôt légal avril 2011
Imprimé au Canada

Marquis imprimeur inc.

Québec, Canada
2011